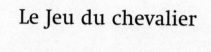

Le Jeu du chevalier

Kit Pearson

Le Jeu du chevalier

*Traduit de l'anglais
par Alice Seelow*

wiz
Albin Michel

Kit Pearson fait partie des plus grands auteurs canadiens actuels :
elle a reçu une quinzaine de prix pour l'ensemble de son œuvre. Ses
livres ont été traduits dans plus de dix langues.

La traductrice remercie Christine Bouard-Schwartz.

Titre original :
A PERFECT GENTLE KNIGHT
(Première publication : Penguin Group (Canada) Toronto, Ontario,
Canada, 2007)
© Kathleen Pearson, 2007
Tous droits réservés, y compris droits de reproduction totale ou partielle,
sous toutes ses formes.

Pour la traduction française :
© Éditions Albin Michel, 2011

*À Lizzie et Gretchen, qui furent un jour
mes compagnons chevaliers.
À Joe Mitchell*

Il était une fois un chevalier, un homme d'honneur
Qui, du jour où il partit sur les routes,
S'éprit de chevalerie, de bonté, de dignité,
De liberté et de courtoisie...
Bien qu'étant de haute lignée, il était sage
Et avait de douces manières de jeune fille.
Jamais il n'avait adressé à quiconque un seul mot
Qui ne fût tendre, aimable et juste.
C'était en vérité un noble et parfait chevalier.

GEOFFREY CHAUCER,
LES CONTES DE CANTERBURY
(Version moderne de Kit Pearson)

1

Meredith

– *S'il te plaît*, Corrie, je peux venir jouer chez toi après la classe, aujourd'hui ?

La sonnerie de la cloche retentit, et Corrie Bell n'eut pas le temps de répondre à Meredith : elles durent se mettre en rang, en silence, devant l'entrée de la classe des filles. La demande de Meredith troubla Corrie tout l'après-midi.

Meredith était une nouvelle élève. Celles de la classe de 6eA, pour la plupart, se connaissaient depuis le cours élémentaire. Les cinq filles qui faisaient la loi en classe depuis toujours – Darlène, Gail, Donna, Sharon et Marilyn – avaient d'ores et déjà décidé d'ignorer Meredith.

Depuis la reprise des cours deux semaines auparavant, Corrie avait pu constater que les autres filles de la classe avaient froidement rejeté les avances impatientes de Meredith. Jouait contre elle le fait qu'elle était potelée et vêtue comme un bébé, qu'elle parlait trop et voulait désespérément se faire aimer.

Meredith avait dès le début jeté son dévolu sur Corrie. Elle la collait à la récréation et jacassait sans relâche jusqu'à la sonnerie de la cloche. Et maintenant elle se comportait comme si toutes deux étaient amies. Comme elles faisaient ensemble une partie du chemin de retour, elle avait même invité, la semaine précédente, Corrie à venir chez elle après la classe.

C'était la curiosité qui avait poussé Corrie à accepter l'invitation, même si elle n'avait pas besoin d'amies. Pourquoi Meredith ne pouvait-elle comprendre cela ? Les autres élèves avaient toujours su respecter les barrières dont elle se protégeait. Meredith, elle, ne semblait pas les avoir remarquées.

Mais voilà : Corrie aimait bien Meredith. Elle appréciait son franc-parler, ses yeux sombres et pétillants, sa passion pour les animaux. Le groupe des Cinq était revenu de vacances passionné par le rock and roll et les stars de cinéma. Meredith, tout comme Corrie, ne s'intéressait nullement à ce genre de sujets.

Corrie aimait par-dessus tout la maison coquette et douillette de Meredith, sa chambre tapissée de livres, et ses gentils parents. La mère de Meredith leur avait offert du lait et des cookies, et son père avait tendrement appliqué un pansement sur le genou éraflé de sa fille. C'étaient des parents dignes d'une série télé.

Elle plongea son stylo dans l'encrier et s'attacha à recopier correctement les mots orthographiés au tableau. C'était la troisième fois que Meredith demandait à venir chez elle. Si Corrie continuait à lui dire non, elle ne l'inviterait sûrement plus dans sa délicieuse maison.

Quand la cloche sonna, Meredith la rattrapa à la porte :

– Alors, je peux venir ?

– Pourquoi pas, lui répondit Corrie en haussant les épaules. Ta mère est d'accord ?

– Oui bien sûr ! Je l'ai prévenue au déjeuner que j'irai chez toi.

Ainsi, elle avait tout prévu. Corrie ne put s'empêcher de sourire.

– D'accord, dit-elle. Alors allons d'abord chercher les jumeaux.

– Et pourras-tu s'il te plaît veiller à ce qu'ils se lavent les mains avant d'entrer en classe ? demanda l'institutrice des jumeaux, une certaine Mlle Tuck à l'air exténué.

Corrie acquiesça en s'esquivant. Chaque jour Mlle Tuck avait une nouvelle plainte à formuler au sujet de Juliette et d'Orly. Ils avaient perdu leurs poésies. Ils ne voulaient pas rester tranquilles à leur place. Orly faisait le tour de la classe en galopant, armé d'une règle en guise d'épée, et Juliette se contentait de grogner au lieu de répondre quand on l'interrogeait.

Corrie saisit deux petites mains poisseuses et entraîna sous la pluie les jumeaux qui protestaient parce qu'ils auraient voulu jouer avec le hamster de la classe.

– Je l'engraisse, déclara fièrement Orly. J'ai glissé des morceaux de mon sandwich dans sa cage. Il va devenir gros comme un petit cochon !

– Tu n'as pas le droit de lui donner à manger – il n'y a que Mlle Tuck qui peut le nourrir. Tu vas le rendre malade. Je te l'ai déjà dit, Orly. Pourquoi tu n'écoutes pas ? Attends, laisse-moi fermer ta veste.

Mais Orly avait déjà filé devant avec Juliette. Tout débraillés, les jumeaux sautaient dans les flaques et faisaient glisser leurs mains le long des haies détrempées.

– Ils sont vraiment intenables, commenta Meredith. On dirait deux petits sauvages !

– Mais *ce sont* des sauvages, renchérit Corrie, l'air sombre. À la maison, ils n'obéissent qu'à Sébastien. Hier après-midi, Juliette est montée sur le toit, elle a failli tomber. Sébastien était sorti. Elle n'a accepté de redescendre que quand nous lui avons promis des marshmallows. Ensuite elle s'est tellement empiffrée qu'elle a tout vomi sur la table de la cuisine.

– C'est Sébastien l'aîné ? s'enquit Meredith.

Elle cherchait toujours à en savoir plus sur la famille de Corrie.

– Oui, il a quatorze ans et Rose treize ans.

La mère de Meredith avait déjà interrogé Corrie sur sa famille. Meredith savait donc que sa mère était morte trois ans plus tôt, que son père enseignait la littérature shakespearienne à l'université, et qu'une succession de gouvernantes s'étaient occupées d'eux.

– Dans quelle école sont Sébastien et Rose ?

– À Laburnum.

– C'est quoi cette école ?

– C'est le collège, répondit Corrie, qui oubliait toujours que Meredith venait d'arriver à Vancouver. C'est là que je serai l'année prochaine, et toi aussi !

– Le collège, beurk ! Je ne veux même pas y penser pour l'instant !

Corrie lui sourit. Juliette et Orly revinrent à toute allure, un oiseau mort dans les mains.

– On va l'enterrer, s'écria Juliette, l'air enjoué.

Corrie caressait le corps doux et ramolli du merle. Ses plumes avaient déjà perdu de leur éclat. Corrie aida sa sœur à envelopper l'oiseau de feuilles.

– Qui s'occupe des jumeaux ? demanda Meredith. Ton père ?

Ta grande sœur ? La gouvernante ? Qui est-ce qui les lave et les habille ?

– Pas mon père ! répondit Corrie en riant. Il ne remarque jamais comment nous sommes habillés ! Rose essaie, mais ils ne restent jamais assez longtemps en place pour qu'elle puisse les baigner et les coiffer. Avec Sébastien, ils seraient sages, mais il oublie de s'en occuper. Et la gouvernante ne se charge que des travaux de maison.

Meredith regardait avec envie les cheveux emmêlés et les vêtements déchirés des jumeaux :

– Ils se ressemblent comme deux gouttes d'eau – comme les jumeaux Bobbsey, Freddie et Flossie[1], dit-elle. Ils seraient ravissants dans des tenues identiques. Ils sont si blonds, après un shampoing ils auraient de beaux cheveux brillants. Pourquoi tu n'essaies pas de faire leur toilette ?

– Ce ne sont pas des poupées ! repartit Corrie d'un ton brusque. Ils sont bien comme ils sont.

Oh, oh. Peut-être que maintenant Meredith n'allait plus l'aimer. Corrie frissonna dans sa veste trempée. Ses pieds aussi étaient tout mouillés. Aucune des paires de bottes de la maison ne lui convenait, et elle oubliait constamment de demander à Rose de lui en acheter de nouvelles. Elle regarda avec envie l'imperméable jaune de Meredith et ses bottes assorties.

– Excuse-moi, Corrie, fit celle-ci. J'ai toujours voulu avoir une petite sœur ou un petit frère. Je pensais juste à ce que je ferais si c'étaient les miens. Tu as vraiment de la chance !

---

1. Les Bobbsey Twins sont les personnages principaux d'une série de fictions pour enfants publiées aux États-Unis de 1904 à 1979. (*Toutes les notes sont de la traductrice.*)

– Ce n'est rien, marmonna Corrie entre ses dents. J'imagine qu'ils doivent être plutôt crasseux. J'essaie parfois de les laver mais Juliette me mord !

Orly, qui avait à nouveau filé devant tout le monde, revint en courant et pinça Meredith.

– Arbre à singes, pas de re-pince ! cria-t-il.

– Aïe ! (Meredith se frotta le bras.) Qu'est-ce que tu racontes ?

– Arrête, Orly, ordonna Corrie à son frère. Meredith vient de Calgary. Elle ne connaît pas ce jeu-là.

Elle expliqua à Meredith que chaque fois qu'on aperçoit un arbre à singes, on est censé pincer quelqu'un en disant la même chose qu'Orly. Celui qui se fait pincer n'a pas le droit de répliquer.

– C'est vrai que ces arbres sont étranges, observa Meredith en continuant à descendre la rue pentue.

Elle regarda attentivement autour d'elle et aperçut un autre arbre dont les longues branches épineuses ressemblaient à des queues de singes. Elle rattrapa alors Orly :

– Arbre à singes ! Pas de re-pince !

Orly gloussa et fila vers la maison.

– Nous y sommes, fit timidement Corrie.

– Quelle haie gigantesque ! s'émerveilla Meredith.

Les jeunes filles poussèrent la grille branlante. Juliette et Orly coururent au fond du jardin pour aller y enterrer l'oiseau.

– Waouh ! s'extasia Meredith. Ta maison est immense ! Vous devez être riches !

– Je ne crois pas que nous soyons riches, répondit Corrie, gênée. C'était la maison de mes grands-parents. Mes parents y ont emménagé après leur mort.

Meredith regardait bouche bée la haute demeure grise. La végétation avait largement recouvert toutes les fenêtres du rez-de-chaussée :

– Vous avez combien de chambres ?

– Beaucoup, fit Corrie avec un haussement d'épaules.

Elle conduisit Meredith en haut des marches tapissées de mousse, traversa le couloir puis la salle à manger et la cuisine. Si seulement des cookies tout juste sortis du four les attendaient sur la table !

La cuisine dégageait une odeur rance. Mme Oliphant, confortablement installée dans le fauteuil qu'elle y avait déplacé, fumait une cigarette en feuilletant un magazine de cinéma. Elle ne faisait jamais de gâteaux. « Si vous avez envie de desserts compliqués, vous n'avez qu'à les préparer vous-mêmes », avait-elle prévenu les enfants.

Elle lança un regard furieux à Corrie.

– Ton petit frère m'a rendue folle. Il est descendu toutes les heures pour réclamer à manger. Je suis là pour m'occuper de la cuisine et du ménage, pas pour jouer les garde-malades. Et ce maudit chat a vomi ses boules de poil dans le séjour. Je refuse de prendre en charge tout ce travail supplémentaire. Je vais parler à ton père !

Corrie fit comme si elle n'avait rien entendu. Elle saisit un paquet de biscuits, un couteau et le pot de beurre de cacahuète et poussa Meredith jusqu'à l'escalier de service.

– C'est elle, la gouvernante ? chuchota Meredith en s'agrippant à la rampe de l'escalier aux marches glissantes.

Les deux filles grimpèrent jusqu'à la chambre de Corrie, au deuxième étage. Corrie dégagea un espace sur son tapis et invita Meredith à s'asseoir. Son cœur se serra quand elle vit que celle-ci remarquait les toiles d'araignée au plafond, la peinture écaillée de son lit défait, l'édredon déchiré jeté dessus, sans oublier les livres et les vêtements entassés sur le sol.

La chambre de Meredith contenait deux lits jumeaux recouverts d'une courtepointe rose et équipés chacun d'une table de chevet blanche. Des rideaux à volants en organdi blanc, ainsi qu'une coiffeuse décorée d'un tissu rose identique à celui des dessus-de-lit complétaient l'ensemble.

Si Corrie avait prévu la venue de Meredith, elle aurait essayé de ranger un peu. Aucune des gouvernantes n'avait jamais bien nettoyé leurs chambres, mais Mme Oliphant était la pire de toutes ; elle avait décrété qu'il y avait trop de marches à gravir.

– Qu'est-ce que c'est, là-bas ? interrogea Meredith en fixant le fond de la pièce.

– C'est juste le lierre sur le toit de la maison, qui a poussé jusqu'ici. La fenêtre ne ferme plus, elle est gauchie, expliqua Corrie en essayant de prendre un air dégagé.

Les jeunes filles s'adossèrent au lit et grignotèrent des biscuits tartinés de beurre de cacahuète.

– Ta gouvernante n'a vraiment pas l'air gentille ! s'indigna Meredith. Comment s'appelle-t-elle ?

– Mme Oliphant. Elle n'est là que depuis un mois. C'est une vraie râleuse ! Nous l'avons surnommée l'Éléphant.

– Et l'Éléphant est là toute la journée ? gloussa Meredith.

– Elle fait les courses et arrive à dix heures, juste avant que Père ne parte travailler.

– Elle mange avec vous ?

– Non, elle nous laisse notre repas au chaud dans le four.

– Tu as eu combien de gouvernantes ?

Corrie réfléchit un instant :

– Cinq, je crois. Elles sont toutes parties parce que la maison est trop grande, il y a trop de ménage. Et avant l'entrée des jumeaux à l'école, aucune n'a tenu très longtemps, car il fallait s'en occuper toute la journée.

– L'Éléphant fait bien la cuisine ?

– Horrible ! C'est insipide, tout a le même goût. Tante Madge était une bonne cuisinière. Elle préparait des desserts délicieux, du pain d'épice ou du pudding au chocolat.

– Elle a habité avec vous ?

Corrie n'avait pas prévu de parler de tante Madge.

– Oui, répondit-elle doucement. Elle est venue... après la mort de ma mère. Mais elle n'est restée qu'un an.

– Pourquoi est-elle partie ? Tu ne l'aimais pas ?

– Je l'aimais beaucoup, répondit Corrie en avalant sa salive. Elle était très gentille avec nous. Mais... sa cousine est tombée malade. Alors elle a dû rentrer à Winnipeg pour s'en occuper.

Elle ne pourrait jamais avouer l'autre raison qui avait poussé tante Madge à partir. Si seulement Meredith arrêtait de poser toutes ces questions !

Heureusement, son attention fut distraite par un gros chat gris à poils longs qui entrait d'un pas nonchalant dans la chambre.

– Oh, il est superbe ! s'exclama Meredith. Comment s'appelle-t-il ?

– Othello, répondit Corrie. (Elle se leva d'un bond et enfouit son visage dans la fourrure du chat.) Othello parce que c'est un gros jaloux possessif.

Othello miaula lorsque Corrie le déposa lourdement sur les genoux de Meredith.

– Tu en as de la chance ! Un chien, ce serait encore mieux, mais un chat, c'est presque aussi bien. Si seulement mon père n'était pas allergique aux animaux ! Est-ce qu'Othello est à toi ?

– Il est à nous tous, mais en réalité il préfère Harry.

Corrie regarda Meredith chatouiller les oreilles du chat. L'espoir revenait en elle. Meredith avait beau être curieuse, c'était amusant d'être là avec elle. Corrie n'avait pas reçu d'amie dans sa chambre depuis l'âge de huit ans.

– Il a un drôle de nom, remarqua Meredith en faisant rouler Othello sur le dos pour lui caresser le ventre.

Le matou ronronnait comme une locomotive à vapeur.

– Il vient d'une pièce de Shakespeare, comme tous nos prénoms.

À présent, Corrie avait envie d'en dire plus à Meredith sur sa famille.

– Ah bon ? Je ne connais rien à Shakespeare, avoua Meredith.

– Je ne sais pas grand-chose non plus mais je connais les titres de toutes les pièces dont nos prénoms sont tirés.

– Corrie est un personnage de théâtre ? C'est super !

– Corrie, c'est Cordelia. Mon vrai nom. C'est dans *Le Roi Lear*. Sébastien vient de *La Nuit des rois*, Rose de Rosalinde dans *Comme il vous plaira*, Harry d'*Henri IV*, Orly d'Orlando dans *Comme il vous plaira* aussi, et Juliette de *Roméo et Juliette*.

– Cordelia est un prénom beaucoup plus intéressant que Meredith.

– Meredith est plus normal. Nous envions tous Harry – c'est lui qui a le prénom le plus courant.

Comme sur commande, Harry entra dans la chambre.

– Je te présente Meredith, lui dit Corrie, déplorant l'air grave de son frère.

Harry salua Meredith de la tête, s'accroupit sur le tapis et se mit à engloutir les uns après les autres des biscuits qu'il tartinait de beurre de cacahuète.

– Tu te sens mieux ? lui demanda Corrie.

– Un peu, répondit Harry en s'essuyant le nez du revers de sa manche déjà raide de morve. Je retourne à l'école demain. L'Éléphant crie trop. Mes singes de mer ont éclos, Corrie. Vous voulez les voir ?

Ils allèrent dans la chambre d'Harry et contemplèrent les dizaines de minuscules points blancs qui nageaient dans un bocal.

– Ils ne ressemblent pas du tout à des singes, observa Corrie.

– On les appelle comme ça à cause de leur queue. Peut-être qu'on la verra quand ils grandiront.

– J'en ai acheté par correspondance, expliqua Meredith. Mon père dit que ce sont des bestioles sans intérêt.

Ils fixaient le bocal, dépités.

– Quelle arnaque ! fit Harry. J'ai dépensé tout mon argent de poche là-dedans !

– Ne vous en faites pas, lança Meredith. Ils se transformeront peut-être en des espèces de scarabées ou d'araignées bizarres.

Harry lui adressa l'un de ses rares sourires. Puis, tirant de sous son lit un grand sac en papier :

– Tu veux voir ma collection de capsules de bouteille ? J'en ai deux cent vingt-sept ! (Il commença à les éparpiller sur le sol.) Tu as vu, elles sont toutes numérotées à l'intérieur. J'ai fait une liste.

– Tu veux visiter la maison ? s'empressa de demander Corrie avant qu'Harry ne poursuive sa litanie sur ses capsules.

Elle montra d'abord à Meredith l'étroit placard tout en

longueur aménagé sous l'avant-toit et rempli de vieilles valises et de cartons. Meredith se fraya un chemin jusqu'au fond. Corrie se dépêcha d'aller refermer la porte de la chambre de Sébastien.

– Cet endroit est parfait pour jouer à cache-cache ! déclara Meredith en chassant les toiles d'araignée de ses cheveux. Qu'est-ce qu'il y a dans toutes ces boîtes ?

– Les papiers de Père et d'autres trucs, répondit Corrie.

Elle entraîna Meredith vers l'escalier principal, mais celle-ci désigna une porte à l'autre bout du couloir.

– Et là, qu'est-ce que c'est ?

Corrie avala sa salive :

– Oh, juste une chambre d'amis. On n'a pas le droit d'y aller.

– Pourquoi ?

Mais Corrie était déjà presque arrivée au premier étage. Elle ouvrit la porte de la chambre de Rose, en prenant d'abord soin de vérifier qu'Othello n'était pas dans les environs. Meredith se précipita vers une cage suspendue à côté de la fenêtre.

– Une perruche ! Comment s'appelle-t-elle ?

– Clochette.

Corrie ferma la porte et ouvrit la cage. Elle glissa sa main à l'intérieur et l'oiseau vert lui sauta sur le doigt. Avec précaution, elle le passa à Meredith.

– Elle me chatouille ! Elle a l'air très bien apprivoisée ! s'exclama Meredith au moment où Clochette atterrit sur son épaule et se blottit dans son cou. Quel drôle de nom tu as, lui dit-elle.

– C'est à cause de notre nom de famille[1] – et parce que Rose l'a eue pour Noël.

---

1. Bell signifie « cloche ».

22

– Clochette ! (Meredith chantonna les notes de *Jingle Bell*, le célèbre chant de Noël, lorsque Clochette se posa sur sa tête.) Je me demande si Papa est allergique aux oiseaux. Je vais en commander une pour Noël ! Est-ce qu'elle parle ?

– Joli jojo ! fit Clochette, comme s'il – c'était donc un mâle – attendait sa question. Jolie Clochette ! Joyeux Noël ! *Jingle Bell !*

Meredith était enchantée. Les deux filles replacèrent Clochette dans sa cage et inspectèrent l'antre chaotique et nauséabond de Juliette et d'Orly.

– Elle est à qui, cette chambre ? demanda Meredith en désignant une porte close en face de celle des jumeaux. À ton père ?

– Oui, quand ma mère était encore là, répondit Corrie la gorge serrée. Maintenant, Père dort dans son bureau. Ainsi, il peut se lever et travailler au beau milieu de la nuit si ça lui chante.

Meredith n'arrêtait pas de fixer la porte fermée :

– On ne peut pas aller voir ?

– Non ! fit Corrie. Désolée.

Meredith sembla ne pas y attacher d'importance.

Corrie la conduisit dans l'ancienne chambre de tante Madge. Elles restèrent quelques minutes à la fenêtre et aperçurent les jumeaux serrés l'un contre l'autre dans le jardin. Tante Madge avait laissé ses chiens de faïence blancs de chaque côté de la tablette de la cheminée. Alors que deux années s'étaient écoulées, Corrie sentait encore les effluves de l'eau de Cologne de sa tante.

Les deux filles descendirent le grand escalier et firent halte sur le palier.

– Lorsqu'il y a du soleil, les fenêtres dessinent des arcs-en-ciel sur les murs, expliqua Corrie.

– Comment ça ?

– Parce que le verre est biseauté.

– Génial ! Je pourrai revenir voir ça un jour.

– Hum… peut-être. Viens, la première arrivée en bas a gagné.

Corrie montra rapidement à Meredith le salon plongé dans la pénombre puis, juste à côté, la bibliothèque où s'entassaient des étagères de livres, des fauteuils avachis et la télévision.

– Nous n'allons jamais dans le salon – c'est ici que nous passons le plus de temps, dit-elle à Meredith.

Elles jetèrent un coup d'œil à la salle à manger et au cellier, et Corrie montra la porte close du bureau de son père.

– Pourquoi tu l'appelles Père et non Papa ? interrogea Meredith.

Corrie haussa les épaules :

– Je ne sais pas. On l'a toujours appelé comme ça.

Elle sourit à l'idée d'appeler son père Papa, ce serait comme appeler un lion un chaton.

– Où est-il ?

– À l'université – il rentre vers six heures. Tu veux voir le sous-sol ? Il fait un peu peur.

– J'adore avoir peur !

Elles descendirent les escaliers à pas de loup puis empruntèrent un couloir obscur encombré de boîtes, d'affaires de bébé, de vieux vélos et d'outils.

– On pourrait se perdre, dans cette maison ! observa Meredith lorsqu'elles regagnèrent le hall d'entrée.

– Ça m'est arrivé quand on a emménagé ici, lui avoua Corrie. Je n'avais que trois ans et je n'en pouvais plus de monter toutes ces marches.

– Comme tout est mystérieux, ici ! dit Meredith en regardant les lambris de bois sombre. Il y a plein d'endroits secrets, l'escalier de service, le placard, et toutes ces portes fermées ! Et quatre salles de bains ! Je ne savais pas qu'on pouvait en avoir autant. Tu as vraiment de la chance, Corrie. C'est une maison comme dans les livres !

Les dernières réticences de Corrie s'évanouirent. Meredith ne semblait pas gênée par le papier peint qui se décollait, ni par la poussière, l'odeur de renfermé ou le désordre ambiant. Elle était suffisamment courageuse pour explorer l'inquiétant sous-sol. Et elle ne la trouvait même pas étrange de n'avoir pas de mère. Elle semblait l'apprécier telle qu'elle était.

Meredith regarda par la fenêtre :

– Il ne pleut plus. On peut retourner dans le jardin ?

Elles trouvèrent Juliette et Orly, l'air solennel, debout devant une pierre. Ils avaient les bras noirs jusqu'au coude et le visage maculé de terre.

D'autres gros cailloux parsemaient l'endroit.

– C'est notre cimetière d'animaux, apprit Juliette à Meredith. Pour l'instant, nous y avons enterré trois oiseaux, six tortues et un rat.

– Un rat ! J'ai peur des rats !

– Moi aussi, intervint Corrie, tremblante au souvenir de ceux qu'avait tués Othello.

Elle se réjouit intérieurement que Meredith en ait peur également.

– Orly et moi, nous n'avons pas peur des rats ! répliqua Juliette en leur jetant un regard dédaigneux.

– Vous venez de manquer l'enterrement du merle, leur dit Orly. Nous avons chanté *Tant de lumières et de merveilles*[1].

---

1. *All Things Bright and Beautiful*, célèbre hymne religieux.

Corrie montra son cerisier préféré à sa nouvelle amie. Elle lui proposa d'y grimper, mais Meredith avait le vertige. Le reste du jardin était un enchevêtrement d'arbustes, d'arbres et d'herbes folles. Corrie pensait à la pelouse impeccable de Meredith, où elles s'étaient entraînées à faire la roue.

Toutefois, Meredith semblait apprécier ce jardin sauvage.

– On se croirait dans la jungle ! affirma-t-elle en se frayant un chemin à travers un épais massif de bambous.

Le jardin était long et étroit. Corrie suivit Meredith jusqu'au fond.

– Qu'est-ce que c'est ? demanda cette dernière, montrant du doigt une cabane en bois délabrée construite près de la grille qui ouvrait sur le chemin.

– Oh, rien, s'empressa de répondre Corrie. Juste un vieil abri rempli de... d'outils de jardin.

– Je peux jeter un coup d'œil ?

Meredith s'approchait de la fenêtre encrassée quand Corrie la tira par la manche.

– Il n'y a rien à voir. Viens, retournons dans ma chambre.

Elle la reconduisit à l'intérieur de la maison.

À l'étage, Meredith se pencha sur le bureau de Corrie :

– Qu'est-ce que c'est ?

– Ça s'appelle un diorama.

Meredith observa la scène recréée par Corrie dans une boîte à chaussures.

– Comment tu fais ça ?

– J'ai mis un miroir pour l'étang et un peu de gravillons de Clochette pour le sable. J'ai dessiné l'arbre et la grange sur un morceau de carton et je les ai découpés et collés en fabriquant des petites languettes pour qu'ils tiennent debout. Je n'ai pas encore fini. Je vais emprunter quelques-uns des animaux de la ferme aux jumeaux si j'arrive à les faire sortir de leur chambre.

– C'est superbe !

– J'en ai fait plein, ajouta-t-elle rayonnante. Il n'y a pas de place ici, alors je les entrepose au sous-sol. Je te montrerai un jour.

– J'adorerais les voir !

Meredith s'assit sur le lit et se mit à parler à Corrie de sa maison de Calgary et de ses meilleures amies restées là-bas.

– Elles me manquent tellement. Ici, l'école n'est pas très accueillante. Mais au moins, toi, tu es gentille avec moi. C'est quand, ton anniversaire ?

– Le 20 août, répondit Corrie.

Meredith poussa un cri :

– Moi aussi ! C'est incroyable, tu ne trouves pas ? Nous sommes jumelles ! Dès qu'on s'est rencontrées, j'ai senti que nous avions des tas de points communs !

Corrie passait un si bon moment avec Meredith qu'elle avait oublié de guetter le bruit de la porte d'entrée. Lorsqu'elle s'ouvrit, la jeune fille tressaillit : Sébastien était rentré ! Qu'allait-il penser de sa nouvelle amie ?

– Tu veux que je te présente mon frère et ma sœur ? demanda-t-elle d'un ton faussement dégagé.

– Bien sûr ! fit Meredith. Qu'est-ce que c'est que ce bruit ?

Corrie se mit à rire :

– Viens !

Elles atteignirent le palier à temps pour voir Orly glisser le long de la rampe d'escalier et se heurter au pilastre en poussant

27

un cri de frayeur, et ce à chaque étage. Juliette et Harry attendaient leur tour pour descendre.

– Sébastien, Sébastien ! scandaient-ils tous les trois.

Corrie et Meredith avancèrent avec précaution au milieu des bras et des jambes enchevêtrés au pied de l'escalier.

Un grand garçon et une jeune fille plus petite se tenaient dans l'entrée. Rose réprimandait les jumeaux :

– Arrêtez de me tripoter ! Vous avez les mains toutes sales !

En descendant l'escalier, Corrie s'était réjouie de présenter Sébastien à Meredith. Mais devant l'expression de son frère, sa bonne humeur s'évanouit. Sébastien semblait malheureux : pâle, tendu, les lèvres tremblantes.

– Comment s'appelle ton amie, Corrie ? demanda Rose.

Corrie l'avait presque oubliée.

– Oh, voici Meredith. Meredith, je te présente Rose et... Sébastien.

Corrie ne quittait pas son frère des yeux. En croisant son regard, Sébastien parvint à esquisser un vague sourire. Puis il se dirigea vers la salle de bains.

– Que s'est-il passé ? demanda Corrie à Rose.

– Comme d'habitude, soupira celle-ci. Je te raconterai plus tard. Est-ce que Meredith reste dîner ?

– Non, elle doit rentrer chez elle, répondit Corrie.

– Mais je suis d'accord pour rester ! corrigea Meredith. Je vais téléphoner à Maman pour le lui demander.

– Nous n'avons pas assez à manger pour que tu restes, lança Corrie.

– Corrie, ne sois pas si mal élevée ! s'exclama Rose.

Sébastien sortit de la salle de bains et monta l'escalier.

– Venez, vous deux. On va se laver, fit Rose en saisissant chacun des jumeaux par le bras.

– Fuyons ! crièrent-ils de concert.

Orly dégagea son bras de l'étreinte de Rose et Juliette grogna
comme un chiot.

Sébastien regardait la scène depuis le palier.

– Maître Jules et maître Orlando, obéissez aux ordres, dit-il
calmement.

– Oui, sire, répondirent en chœur les jumeaux, suivant Rose
dans la salle de bains.

– Qu'est-ce qu'ils ont dit ? s'étonna Meredith. Oui *sire* ?

– C'est juste un jeu idiot des jumeaux. Meredith, rentre chez
toi, tu veux bien ? J'ai besoin d'être seule avec ma famille,
d'accord ? lui demanda Corrie.

Vexée et perplexe, Meredith enfila son manteau et ouvrit la
porte.

– Au revoir, Corrie. Je me suis vraiment bien amusée.

C'est à peine si Corrie l'avait entendue. Elle montait déjà à
l'étage pour aller parler à Rose.

2

La table ronde

– Terry lui a plongé la tête dans les toilettes, raconta Rose, tenant délicatement Clochette contre sa poitrine et lui caressant la tête du bout des doigts.

– Dans les toilettes ? Mais c'est affreux !

Corrie s'enveloppa dans le couvre-lit en chenille jaune de Rose et s'adossa au mur.

– Qu'a donc fait Sébastien pour rendre Terry aussi violent ? reprit-elle.

– Probablement rien, répondit Rose en haussant les épaules. C'est juste qu'il le harcèle, comme l'année dernière. En plus Terry a monté tous ses copains contre lui. Ils le poursuivent dans le couloir en marmonnant des insultes.

– Quelles insultes ?

– Pédé, Sébastien le taré.

Les yeux bleus et ronds de Rose eurent une expression désespérée.

Elle est si jolie, se dit Corrie. Mais Rose paraissait trop mûre pour son âge. Sa meilleure amie, Joyce, lui avait fait une permanente et son visage était à présent encadré de boucles blondes complètement figées. Elle portait un corsage blanc

31

impeccable, rentré dans une jupe ample qui mettait en valeur la finesse de sa taille. Sur son gilet, elle arborait un badge *I Love Elvis*. Rose et Joyce avaient assisté au concert du chanteur le mois précédent. Bien qu'elles n'aient rien pu voir ni entendre, Rose était depuis lors obnubilée par Elvis.

– Si seulement Sébastien se coupait les cheveux ! soupira Rose. S'il n'avait pas l'air aussi différent, ils le laisseraient peut-être tranquille.

– Moi, j'aime ses cheveux ! s'insurgea Corrie. Il est bien comme il est ! Il est différent parce qu'il est mieux que tous ces garçons ! Ce sont des voyous !

– Bien sûr qu'il est mieux qu'eux, rétorqua Rose, mais s'il ne veut plus être persécuté, il doit faire des efforts ! C'est toute cette famille qui est différente, et j'en ai marre ! L'année dernière, Joyce et moi, nous avions trop peur de nous joindre à n'importe quel groupe, mais maintenant que nous sommes en Secondaire 2, nous avons conclu un pacte. À la fin du trimestre, nous serons populaires. Nous avons lu un article dans un magazine qui explique comment s'y prendre. Nous devons avoir l'air sûres de nous et nous inscrire à des activités. Nous avons essayé les majorettes et la chorale. J'ai terriblement envie de faire partie de l'équipe de majorettes. Mais ce n'est pas facile, quand tout le monde pense que votre frère est un nul !

Corrie eut envie de frapper sa sœur, mais se borna à lui secouer le bras ; Clochette couina et s'envola dans les rideaux.

– Sébastien n'est pas un nul ! Comment peux-tu dire ça ? Il n'y a que Terry et ces autres garçons qui le pensent. Tu le sais, Rose ! Alors toi aussi, tu vas te retourner contre lui ?

– Excuse-moi, Corrie, répondit Rose. Je sais que ce n'est pas un nul. C'est juste Sébastien. Je ne me retournerai jamais contre lui. Les choses ne sont parfois pas évidentes, c'est tout.

Clochette se posa sur le dessus-de-lit qu'il parcourut en picorant les pompons.

– Je ne comprends pas pourquoi tu te préoccupes tant de l'opinion des autres, ajouta Corrie. Moi, ça m'est égal. J'aime notre famille telle qu'elle est.

– Attends d'être au collège, alors tu t'en préoccuperas, dit Rose. Ton apparence et ton comportement prennent beaucoup d'importance. Si tu es un tant soit peu différente, tu n'arrives pas à te faire d'amis.

– Les amis, à quoi ça sert ? Tu nous as, nous !

– Pour moi, c'est important, rétorqua Rose.

Sébastien ouvrit la porte.

– Seb, je t'ai déjà dit de frapper ! s'exclama Rose. Clochette est en liberté !

Elle coinça la perruche dans un angle de la pièce, s'en empara et la remit dans sa cage.

– Désolé, fit Sébastien. Je voulais juste vous dire que nous organisons une réunion.

– Maintenant ? demanda Rose. Il va faire très froid là-bas et nous n'avons pas encore mis la table.

– Il n'est que dix-sept heures, répondit Sébastien. L'Éléphant vient de partir et il nous reste plein de temps avant que Père ne rentre à la maison. Vous pouvez aller chercher les autres et me retrouver à Camelot ?

Son regard gris les implorait. En silence, Rose et Corrie descendirent du lit et suivirent Sébastien.

Il faisait si froid dans la cabane qu'ils durent mettre leurs manteaux. Corrie tira sur le sien pour se protéger de l'humidité du bois : son tabouret était une souche peu confortable. Elle aida Juliette à se rapprocher du cercle.

Sébastien attendit que tout le monde soit assis et silencieux autour de la Table ronde. Puis il prit la parole.

– Moi, messire Lancelot, en l'absence de notre roi, convoque une réunion des chevaliers de la Table ronde. Veuillez répondre à l'appel de votre nom. Messire Gauvain.

– Présent, sire, répondit Rose.

– Maître Cor, mon écuyer.

– Présent, sire, dit fièrement Corrie.

– Maître Harry, écuyer de sire Gauvain.

Harry se moucha, puis prononça d'une voix enrouée :

– Présent, sire.

– Le page de sire Gauvain, maître Orlando.

– Présent, sire ! répondit Orly d'une voix perçante.

– Mon page, maître Jules.

– Présent, fit Juliette.

– Présent, qui ?

– Présent, sire, répéta Juliette en gloussant.

– Mille mercis, fit Sébastien. Je vais à présent conter à mes nobles compagnons d'armes et à leurs serviteurs les aventures que j'ai vécues depuis notre dernière rencontre.

Il prit le roman d'Arthur et leur raconta comment Lancelot avait vaincu de nombreux chevaliers au cours d'un tournoi.

Corrie vit les joues pâles de Sébastien reprendre couleur à mesure que le récit avançait. Ses traits se détendirent et l'angoisse quitta son regard. La jeune fille laissait son esprit s'égarer entre le tournoi et la cabane, où le froid régnait.

Les murs étaient ornés de boucliers fabriqués à partir de couvercles de poubelles repeints, d'armures en carton recouvert de papier aluminium et d'épées de bois. La Table ronde était une ancienne table toute rayée qui avait été reléguée au sous-sol. Ils en avaient supprimé les pieds pour la transformer en table basse et l'avaient peinte en noir. Après avoir défriché son jardin, un voisin les avait laissés prendre des souches, qu'ils avaient transportées jusqu'à la maison à l'aide du chariot d'Orly.

Sébastien avait commencé à jouer à la Table ronde après la mort de leur mère. Aujourd'hui, cela n'avait plus rien d'un jeu – peu à peu, la Table ronde avait envahi presque tous les aspects de leur vie. Lorsqu'ils allaient faire les courses avec leur père, ils chevauchaient leur monture jusqu'à la foire pour y choisir des pigeons vivants et des épices. Les excursions jusqu'à la plage étaient de véritables expéditions de chasse au sanglier. Même à l'école et à l'église, ils étaient des chevaliers, des écuyers et des pages. Ils échangeaient des regards entendus, se délectant de leurs identités secrètes.

Corrie écoutait les aventures de son maître, surnommé la « fleur des chevaliers ». Plus rien n'existait à part ce lieu obscur et rassurant et la voix grave de messire Lancelot.

– Ensuite, il se saisit d'une autre grande lance et châtia douze chevaliers, qui pour la plupart exhalèrent leur dernier souffle.

L'histoire était terminée.

– C'était super ! s'exclama Orly. J'ai bien aimé la manière dont tu as fait saigner du nez le chevalier ennemi.

– Tu as été très très courageux, messire Lancelot, ajouta Juliette.

– Mille mercis, maître Jules, dit Sébastien en souriant.

À présent, l'un d'entre vous aurait-il des aventures à conter ?

Corrie inspira profondément :

– Point d'aventures, sire, mais une requête à formuler.

– Qu'est-ce, mon bon écuyer ?

– Sire, je suis votre écuyer depuis quatre années. Tu ne crois pas... Vous ne pensez pas que le moment est venu pour moi de devenir chevalier ?

Sébastien sourit :

– Je comprends ton souhait, maître Cor. Tu es un écuyer fidèle et courageux, et tu ferais un excellent chevalier. Mais si tu devenais chevalier, je n'aurais plus d'écuyer. Et toi, qui serait ton écuyer ?

– Messire Lancelot, maître Harry pourrait être mon écuyer, le vôtre et celui de messire Gauvain, répondit Corrie en pesant ses mots.

– L'idée est intéressante, maître Cor. Je vais y songer et te donner ma réponse sous peu. Mais pour obtenir le titre de chevalier, il te faudra réussir une épreuve.

– Je le sais, répondit Corrie la gorge serrée. Je... je ferai tout ce que vous me demanderez, messire Lancelot.

– Je veux être ton écuyer ! fit Orly.

– Non, c'est moi ! s'écria Juliette. J'en ai assez d'être un page.

Sébastien fronça les sourcils :

– Honnis soyez-vous, jeunes pages ! De nombreuses années devront encore s'écouler avant que vous ne deveniez écuyers.

Les jumeaux semblaient furieux, mais ils savaient qu'il valait mieux se taire.

– Je vous implore, messire Lancelot, de mettre fin à cette réunion pour que nous puissions préparer notre festin du soir, supplia Rose après avoir regardé sa montre.

– Nous n'allons point nous attarder davantage. Y a-t-il des questions d'ordre domestique à étudier ?

Corrie se souvint de la demande de Mlle Tuck :

– Oui, sire. Les pages ne se lavent pas. Leur maîtresse leur a dit qu'ils ne pourraient plus aller en classe s'ils n'avaient pas les mains propres.

– Messire Gauvain ne peut-il leur rappeler de se laver ?

– C'est ce que je fais ! répliqua Rose d'un air renfrogné. Mais ils font semblant de ne pas m'entendre.

– Est-ce vrai, maître Orly et maître Jules ?

Les jumeaux se tortillèrent sous son regard sévère.

– Oui, sire, marmonnèrent-ils.

– Écoutez-moi. Si vous ne vous lavez pas les mains et le visage tous les matins avant d'aller à l'école, vous serez exclus de la Table ronde. Un chevalier doit être propre. Si vous souhaitez un jour devenir des chevaliers, vous devez commencer à vous conduire comme tels. Est-ce compris ?

Ils hochèrent la tête d'un air grave. Orly avait les larmes aux yeux.

Messire Lancelot redevint Sébastien :

– C'est important, reprit-il plus doucement en ébouriffant les cheveux d'Orly. Si votre maîtresse est mécontente, elle préviendra Père. Il se dira peut-être que nous avons besoin d'être davantage surveillés. L'Éléphant est atroce, mais au moins elle nous laisse tranquilles. Vous n'êtes pas des bébés, vous les pages. Vous êtes assez grands pour vous occuper de vous, comme le reste d'entre nous.

Sébastien se redressa et hissa Juliette sur son dos. Il lança une ruade et recula comme un cheval, faisant rire sa sœur aux éclats tandis que tous se précipitaient hors de la cabane et rentraient se préparer pour le dîner.

C'était au tour de Corrie de dresser la table. Elle disposa avec précaution le verre de vin de leur père et leurs verres de lait. Elle entra dans la cuisine, à l'affût d'une bonne odeur de repas. Harry raclait une boîte de nourriture pour chats, tandis qu'Othello se plaignait bruyamment de la lenteur de l'opération.

– Qu'est-ce qu'il y a pour le dîner ? demanda Corrie à Rose.

– Encore des saucisses de Francfort aux haricots, répondit Rose qui ouvrait le four. Cette femme est d'une paresse ! Je vais parler à Père. Il lui donne de l'argent pour acheter de la viande. Pourquoi ne peut-on pas manger un rôti ou quelque chose comme ça ?

– Ne lui dis rien, Rose ! Si Père pense que nous sommes mécontents de l'Éléphant, il risque de se débarrasser d'elle.

– J'aimerais bien ! fit Rose.

– Mais alors, nous risquerions d'avoir quelqu'un qui nous mène à la baguette ! Et tu sais que Père déteste entendre parler de problèmes. Nous ne devrions pas le déranger avec ça.

– Bon, d'accord, maugréa Rose. C'est lui ?

La porte principale s'ouvrit. Orly se précipita dans l'entrée, suivi de Corrie.

– Bonsoir, mes chers enfants, leur dit Père en déposant un baiser sur le front de chacun.

Orly s'accrocha à sa jambe jusqu'à ce que « Père » le hisse très haut.

– C'est assez, à présent, dit-il. (Il ôta son imperméable et le secoua. Ses cheveux gris et ses épais sourcils dégoulinaient.)

Quel déluge ! Je crois que j'ai oublié mon parapluie dans le bus.

– C'est la deuxième fois ce mois-ci ! remarqua Corrie en souriant.

Elle courut chercher une serviette pour son père. Puis elle appela les autres, aida Rose à servir les haricots sur des toasts, et apporta la salade de chou que Mme Oliphant avait laissée au réfrigérateur.

– Ah, des toasts aux haricots, mon plat préféré ! fit Père avec un sourire et en se frottant les mains, semblant avoir oublié qu'ils avaient fait un repas identique trois jours plus tôt. Bon, à qui est-ce le tour de dire les grâces ?

– NourendonsgrassaDieupourlanourriturequenouzallons prende, bredouilla Juliette.

– Ton rhume va-t-il mieux, Harry ? interrogea Père. Es-tu allé à l'école ?

Il écouta la réponse d'Harry. Il sourit à la description du hamster faite par Orly et annonça à Rose qu'il lui avait rapporté un livre de la bibliothèque pour son exposé sur le Mexique.

Corrie le regardait. Elle n'arrivait jamais à savoir si Père manifestait un réel intérêt pour leurs vies. Certes, il les interrogeait et écoutait leurs réponses, mais il parlait d'un ton poli et détaché. Comme s'il s'appliquait à jouer le rôle du père.

D'un autre côté, elle supposait qu'elle se comportait de la même manière. Tous les jours, elle réfléchissait à une histoire concernant l'école et attendait d'en faire le récit au dîner. Ce soir, elle raconta à Père que M. Zelmach leur avait appris un nouveau chant au lieu de leur faire cours d'arithmétique :

– Notre classe va participer à un concert l'année prochaine, Père ! Pour le centenaire. En 1958, la Colombie-Britannique aura cent ans !

– Sachant combien tu détestes l'arithmétique, j'imagine ton soulagement d'y avoir échappé, Cordelia.

Corrie se tortillait de joie. Bien entendu, Père s'intéressait à elle ! Cette heure passée avec lui était si précieuse. Il ne prenait son petit déjeuner avec eux que s'il se levait à temps, mais il assistait toujours au dîner en famille.

Chacun tâchait de contenter Père, de le rassurer sur le fait qu'ils se débrouillaient bien, afin qu'il puisse poursuivre son travail sans être troublé. C'était un père charmant, doux et gentil. Corrie ne se souvenait pas qu'il l'ait un jour réprimandée. Pourtant, en l'observant, elle se remémorait les propos de Meredith sur son père qui avait passé son samedi à réparer son vélo.

Père ne savait probablement même pas que Corrie possédait un vélo et il ne saurait à coup sûr pas non plus comment le réparer. Mais Père était le roi ! se rappela-t-elle. C'était le roi Arthur, trop occupé à diriger son royaume pour passer du temps avec ses chevaliers et ses serviteurs. C'est pour cette raison qu'il avait désigné messire Lancelot pour régner en son absence.

– Et toi, mon garçon ? demanda Père à Sébastien. As-tu passé une bonne journée à l'école ?

Sébastien fit signe que oui, sans lever la tête de son assiette :

– La semaine prochaine, nous allons commencer la lecture du *Songe d'une nuit d'été*, dit-il tranquillement.

Sébastien savait toujours exactement quoi raconter.

– Ah, cette pièce charmante ! s'exclama Père. Lorsque tu auras terminé, je te montrerai un article que j'ai écrit sur Titania. Cela pourrait intéresser ton professeur. Sais-tu dans quelle édition vous allez l'étudier ?

– Je vais me renseigner et vous le dirai demain, répondit Sébastien.

Que penserait leur père s'il savait qu'on avait plongé la tête de Sébastien dans les toilettes ?

Père n'avait pas toujours été aussi distant. Certes, il avait de tout temps été distrait, mais lorsque Maman était en vie, il était beaucoup plus gai, il riait et discutait souvent avec elle.

Tous les soirs, après dîner, la famille s'asseyait dans le salon – la grande pièce qui ne servait aujourd'hui presque plus. Parfois, Père jouait au « dresseur de fauves » avec Corrie et Harry. Il montait sur une chaise et rugissait. Corrie présentait ses tours au reste de la famille et Harry faisait claquer un fouet imaginaire. Ensuite, Père les poursuivait à travers la pièce et menaçait de les dévorer. Ils faisaient semblant d'avoir peur et hurlaient, et Maman interrompait Père, elle riait tellement que des larmes brillaient sur ses joues.

Corrie enfouit ce souvenir au fond d'elle. Ces scènes hilarantes dans le salon ressemblaient à une pièce de théâtre à laquelle elle avait un jour assisté. Aujourd'hui, la pièce était à jamais achevée.

Pendant que Sébastien et Harry faisaient la vaisselle, Corrie préparait les déjeuners du lendemain. Père les avait déjà tous embrassés en leur souhaitant bonne nuit et s'était retiré dans son bureau pour travailler. Corrie savait qu'il se consacrait à un ouvrage sur *Le Conte d'hiver*, et qu'il avait déjà écrit de nombreux articles sur Shakespeare pour des revues spécialisées. Il travaillait souvent jusque tard dans la nuit.

Comment était-il possible qu'un écrivain soit si important qu'on passe sa vie entière à l'étudier ? Peut-être le découvrirait-elle lorsqu'elle serait assez grande pour lire les pièces de Shakespeare.

Pour l'heure, voluptueusement blottie dans son fauteuil placé devant sa fenêtre, Corrie lisait *L'Aigle de la neuvième légion* de Rosemary Sutcliff. Au bout d'un moment, elle abaissa le livre et regarda le ciel qui s'obscurcissait. La pluie avait cessé et on apercevait quelques étoiles. Une demi-lune brillait au-dessus de la ligne d'horizon de l'océan.

J'adore ma chambre, se dit Corrie. Elle n'était pas jolie comme celle de Meredith, mais on s'y sentait en sécurité, comme dans un nid perché au-dessus des maisons voisines.

Elle demeura assise quelques instants supplémentaires, puis emprunta le couloir jusqu'à la chambre de Sébastien. Elle entendait les jumeaux qui prenaient bruyamment leur bain au rez-de-chaussée ; la fermeté de Lancelot avait manifestement fait de l'effet.

– Sébastien ? Je peux entrer ? fit-elle en frappant.

– Bien sûr, maître Cor ! répondit Sébastien en ouvrant la porte.

Corrie grimpa au bord du lit. Les murs de la chambre bien rangée de Sébastien étaient couverts de méticuleux dessins de chevaliers : à cheval, lors de joutes, avec des faucons sur l'avant-bras. *C'est vraiment un bon artiste,* se dit Corrie emplie de fierté.

– Penses-tu sincèrement être prête à recevoir le titre de chevalier ? interrogea Sébastien en se calant contre le dossier de sa chaise de bureau.

– Oh oui !

Sébastien sourit :

– Qui aimerais-tu être ? Perceval ? Lionel ?

– Gareth.

Corrie avait lu dans son exemplaire du *Roi Arthur* que Gareth s'était déguisé en garçon de cuisine lorsqu'il s'était rendu pour la première fois à Camelot. Keu s'était moqué de lui et l'avait appelé Beaumains à cause de la blancheur de ses mains, mais Lancelot l'avait défendu.

– Gareth... (Sébastien paraissait songeur.) Cela te conviendrait. Gareth est noble et loyal. Et c'est le frère de Gauvain. Il n'y a qu'une seule chose... tu n'as pas lu le récit de sa mort ?

– Eh bien, Lancelot le tue, répondit Corrie en rougissant. Mais ce n'était pas intentionnel : il n'avait pas reconnu Gareth.

Elle croisait les doigts pendant que Sébastien réfléchissait à sa demande. Depuis des semaines, elle s'imaginait en Gareth.

– Nous n'avons pas besoin d'aller aussi loin dans l'histoire, répondit enfin Sébastien. Gareth tu deviendras !

Corrie frissonna de plaisir. Elle aurait voulu continuer à évoquer son futur rôle de chevalier, mais elle s'obligea à changer de sujet.

– Hum, Sébastien... hasarda-t-elle. Rose m'a dit que Terry s'en était encore pris à toi. Elle m'a raconté que...

– Je n'ai pas envie d'en parler, l'interrompit Sébastien d'une voix tendue. C'est l'école. Ce n'est pas la réalité.

Corrie tressaillit devant son expression déterminée, avant de poursuivre tant bien que mal :

– C'est bien réel, non ? Je veux dire, tu y passes une grande partie de la journée.

– C'était tellement mieux quand l'école faisait partie de la Table ronde, tu te souviens ?

Bien sûr qu'elle s'en souvenait. Quand Sébastien et Rose étaient à l'école primaire Duc-de-Connaught, c'était une école de chevalerie. Les enseignements artistiques étaient alors des cours de harpe, les sciences sociales des joutes, et les cours de gym du tir à l'arc. L'arithmétique, la matière la plus redoutée de Corrie, lui avait semblé beaucoup plus facile lorsqu'elle avait su qu'il s'agissait de fauconnerie. Dès qu'elle croisait Sébastien, Rose ou Harry dans le couloir, ils échangeaient des sourires mystérieux, fiers d'être de véritables écuyers et des chevaliers en route pour leur leçon de chasse ou d'escrime.

Mais, depuis, plus de deux années s'étaient écoulées. Lorsque Sébastien était entré au collège, Corrie et Rose avaient tenté de poursuivre le jeu, mais il ne fonctionnait pas sans la direction de Lancelot. À présent, Corrie essayait parfois d'être maître Cor à l'école mais, avec deux chevaliers en moins, le jeu ne durait pas plus de quelques minutes.

Le regard de Sébastien était aussi translucide que du verre. Corrie ne supportait pas l'angoisse qu'elle y lisait.

– Tu ne peux pas parler à quelqu'un de la cruauté de Terry ? lui demanda-t-elle. Peut-être le directeur ?

– Tu sais que je ne peux pas le dénoncer. Il s'acharnerait encore plus contre moi.

Sébastien se leva pour regarder par la fenêtre.

– Il n'y a rien à faire, Corrie. Mais ça n'a pas d'importance ! Je suis messire Lancelot ! Ce n'est rien, comparé au fait de tuer deux géants et de frapper cinq chevaliers avec une seule lance ! Je peux résister.

– Même quand ils te plongent la tête...

– Ça suffit ! Je ne veux plus en parler. Comprenez-vous, maître Cor ?

– Oui, sire, répondit Corrie en baissant la tête.

– Maintenant, à propos de ton titre de chevalier. Nous pourrions organiser ton initiation et ton adoubement samedi. Je vais réfléchir à une épreuve adéquate.

– Corrie ! (Rose l'appelait du rez-de-chaussée.) Pourrais-tu lire leur histoire à Juliette et Orly ? Je n'ai pas encore fait mes devoirs.

Les jumeaux étaient tout roses et parfaitement propres, leurs cheveux brillaient après le shampoing. Meredith les adorerait ainsi : ils ressemblaient à présent vraiment à Freddie et Flossie.

Ils s'entassèrent sur le lit de Juliette, et Corrie leur lut un chapitre de *Henry Huggins*. Puis elle tenta d'embrasser Juliette mais, comme de coutume, celle-ci ronchonna et enfouit la tête sous ses draps.

Orly, en revanche, adorait être câliné. Corrie le transporta jusqu'à son lit et respira sa bonne odeur de propre tandis qu'il s'accrochait à elle.

– Ne t'en va pas tout de suite, la supplia-t-il.

Orly avait peur du noir.

– Je vais laisser la lumière allumée dans le couloir. Tout ira bien, le rassura Corrie.

Elle l'embrassa et lui tendit son ours favori.

Corrie bâilla en se brossant les dents. Cet automne, Sébastien avait repoussé son heure de coucher à vingt et une heures, mais elle n'était pas encore habituée à la demi-heure supplémentaire. Elle tenta de lire, puis dut rapidement éteindre sa lumière. Elle se pelotonna contre son oreiller, s'efforçant de chasser de son esprit l'image de la tête de Sébastien plongée dans la cuvette des toilettes. Pour cela, elle se raconta une histoire au cours de laquelle Gareth tuait un dragon.

3

Messire Gareth

Le samedi était le jour où la famille Bell jouissait d'un maximum de liberté. En général, Père passait une grande partie de la journée à faire des recherches à la bibliothèque universitaire. L'Éléphant ne venait pas le week-end. Elle leur laissait des provisions et ils devaient se préparer leurs repas eux-mêmes.

Corrie se réveilla avec un sentiment d'allégresse propre au week-end – deux journées entières sans école, juste pour profiter de sa famille, sans se préoccuper du reste du monde. C'était une belle matinée de samedi, chaude et ensoleillée, traversée d'un léger souffle d'air.

Elle s'était sentie seule à l'école, cette semaine. Le lendemain de la venue de Meredith, celle-ci avait accouru vers elle comme à l'ordinaire. Corrie, très gênée au souvenir de son indélicatesse, lui avait tourné le dos et s'était éloignée. À plusieurs reprises, Meredith avait de nouveau cherché à lui parler, puis elle avait renoncé. Corrie ne supportait pas l'expression contrariée et déconcertée de son visage. Elle aurait dû s'excuser, mais elle n'avait pas eu d'amie depuis si longtemps qu'elle ne savait comment s'y prendre.

En tout cas, aujourd'hui, elle allait être adoubée chevalier !

La veille au soir, elle avait effectué une heure de retraite à Camelot. Sébastien lui avait allumé des bougies et lui avait demandé de méditer sur le Code de la chevalerie, affiché sur le mur de la cabane.

Corrie était assise sur son inconfortable souche. La bougie faisait danser d'inquiétantes ombres sur les murs. Elle essaya de s'imaginer dans une chapelle. Elle tenta même de s'agenouiller, mais le sol était trop dur, et elle renonça au bout de quelques instants.

J'ai vingt et un ans, se dit Corrie, *je vais être nommé chevalier après sept années de service en tant qu'écuyer.* Avec soin, elle lut à voix haute chaque phrase du Code que Sébastien avait peint en minutieuses lettres dorées :

> *Un chevalier toujours brave tu seras.*
> *Jamais tu ne pleureras.*
> *Toujours courtois tu resteras.*
> *Généreux et attentionné tu seras.*
> *Toujours propre tu te tiendras.*
> *Les plus faibles toujours tu protégeras.*
> *Le mal et l'injustice tu combattras.*
> *Toujours noble tu demeureras.*

– Crois-tu pouvoir respecter toutes ces règles, maître Cor ? lui demanda messire Lancelot à son retour.

– Ce ne sera pas facile d'être si... parfaite tout le temps, répondit Corrie.

– Ce n'est pas facile, approuva Lancelot d'un air grave. Personne ne te demande d'être parfaite, mais tu dois essayer. C'est ce que je fais à chaque instant.

Elle ne pourrait jamais être comme lui.

– Je vais essayer, murmura Corrie. Mais je ne suis pas très forte.

– Tu t'en sortiras très bien, affirma Lancelot en lui donnant une petite tape dans le dos.

Il la reconduisit à la maison, où elle rejoignit les autres devant la télévision. En voyant leurs regards brillants de curiosité, elle se sentait remplie d'importance.

– L'épreuve se déroulera sur le terrain de golf, annonça Sébastien au petit déjeuner.

Il semblait parfaitement détendu – Corrie savait qu'il appréciait les week-ends encore plus qu'elle.

Othello était monté sur la table et plongeait sa patte dans les céréales d'Harry. Rose le prit et le posa sur le sol.

– Je ne viendrai pas, leur dit-elle.

Sébastien fronça les sourcils :

– Tu ne viendras pas, messire Gauvain ? Tu ne viendras pas à l'initiation et à l'adoubement de messire Gareth ?

– Je suis désolée, Corrie. Je sais que c'est un événement important. Mais Joyce et moi, nous devons nous entraîner pour les épreuves de sélection des majorettes la semaine prochaine.

– Les majorettes ! s'exclama Sébastien avec un air écœuré. C'est beaucoup plus important que ce truc idiot de filles.

– Moi, je ne trouve pas ça idiot, répliqua Rose en se redressant. Vous devrez tout simplement vous passer de moi. Je serai de retour vers dix-sept heures pour préparer le dîner.

Elle quitta la cuisine, exaspérée.

– Pourquoi Rose crie tout le temps ? demanda Orly.

Oui, pourquoi ? se dit Corrie. Elle vit que Sébastien ravalait sa déception.

– Ce n'est rien, maître Orlando, dit-il en souriant à Orly. Messire Gauvain s'est engagé dans une quête. C'est dommage, mais on ne peut rien y faire. À présent, mes compagnons, allez chercher mes armes et en avant !

Ils laissèrent la vaisselle et se précipitèrent vers Camelot pour prendre leurs affaires. Tous possédaient une épée en bois, même les pages. Sébastien avait dit que, d'après les règles, ils ne devraient pas en avoir, mais Juliette et Orly avaient fait tant d'histoires qu'il leur en avait fabriqué de petites. Corrie glissa soigneusement la sienne dans sa ceinture. La peinture s'était un peu effacée et la poignée était branlante ; il lui faudrait la réparer plus tard.

L'épée de Lancelot était la plus longue ; elle avait même un nom : Joyeux. Messire Lancelot portait également un grand bouclier sur lequel étaient peintes trois bandes écarlates, signifiant qu'il était aussi fort que trois hommes à lui seul.

Sébastien ne portait toutefois plus ses armes en public depuis qu'il allait au collège – c'était trop risqué. Quelqu'un de son école aurait pu l'apercevoir. Il regardait avec envie son épée, son bouclier et son armure pendant que les autres se préparaient.

Corrie ajusta son épée tandis qu'ils faisaient trotter leurs chevaux sur le trottoir. Devenait-elle trop grande elle aussi pour chevaucher sa monture en public ? Elle se demanda ce qu'elle ressentirait si elle rencontrait un camarade de classe et décida qu'elle s'en moquerait.

Leurs chevaux – les « palefrois », comme les appelait Lancelot – étaient de longues tiges de bambou qu'ils avaient coupées dans le jardin derrière la maison. Chaque monture possédait des rênes tressées agrémentées de petits grelots. Le cheval de Corrie s'appelait jusqu'alors Minuit, mais elle allait aujourd'hui le rebaptiser. Sébastien avait consulté tous ses ouvrages sans parvenir à trouver le nom du destrier de messire Gareth. Corrie décida de le nommer Éclair.

Éclair était un alezan au front garni d'une bande blanche. Doté d'une longue crinière, il était si fougueux que seule Corrie pouvait le monter. Elle tira sur les rênes pour freiner Éclair, impatient de s'élancer.

Sébastien avançait d'un air nonchalant derrière eux, comme s'il surveillait ses jeunes frères et sœurs. Corrie savait qu'il était en fait vêtu de toute son armure et qu'il montait son noble coursier noir, guettant d'éventuels chevaliers ou des géants maléfiques.

Sébastien portait des lances, quantité d'arcs et de flèches, ainsi qu'un sac en papier. Corrie trembla en remarquant ce sac : elle savait qu'il avait un lien avec son initiation. Ce matin, elle se sentait toutefois invincible, certaine de réussir l'épreuve que Lancelot lui avait réservée, quelle qu'elle soit.

Le terrain de golf situé au bout de leur rue était abandonné depuis des années. C'était à présent un immense et merveilleux terrain de jeu. Corrie s'y amusait depuis toute petite. D'élégants saules pleureurs étaient éparpillés sur la pelouse, et les enfants du quartier avaient fabriqué des forts et des cachettes dans les hauts taillis le long de la clôture.

Maître Cor fit galoper Éclair dans les herbes folles, elle fit la course avec maître Harry et remporta la victoire. Ils atteignirent une clairière au milieu d'un épais bosquet d'arbres. C'était Joyeuse Garde, le château de messire Lancelot. Parfois, l'endroit était occupé par d'autres enfants, ils devaient alors se rendre dans un autre secteur du terrain de golf. Mais aujourd'hui la clairière était vide. Ils pourraient se retrouver entre eux pour l'épreuve.

– Pied à terre, ordonna messire Lancelot. (Ils alignèrent leurs tiges de bambou le long des branches situées tout en bas d'un arbre.) Approche, maître Cor.

En se tenant devant Lancelot, Corrie perdit toute son assurance. Et si l'épreuve était trop difficile ? Elle ne supporterait pas de le décevoir.

– Maître Cor, quel est le premier article du Code de chevalerie ?

– Un chevalier toujours brave tu seras.

– Exact. Tous les chevaliers doivent être braves. Par conséquent, ton épreuve doit consister à faire quelque chose qui t'effraie. Je sais que tu as très peur des rats, n'est-ce pas, maître Cor ?

Non, pas un rat ! Mais Corrie se força à murmurer :

– Oui, sire.

Messire Lancelot ramassa le sac en papier.

– Si un chevalier a peur d'une créature aussi inoffensive qu'un rat, que fera-t-il s'il rencontre un dragon ou un griffon ? Hier, j'ai trouvé le cadavre d'un autre rat tué par le chat du château. Il est dans ce sac. Voici ton épreuve, maître Cor. Tu dois sortir le rat du sac, le déposer sur cette pierre et t'asseoir à côté de lui sans le quitter des yeux durant quinze minutes. Si tu y arrives, tu auras été suffisamment courageuse pour être nommée chevalier.

Je n'y arriverai pas ! pensa Corrie. Son cœur battait la chamade et sa bouche était sèche. Elle avait la phobie des rats,

52

même l'idée la faisait trembler, comment pourrait-elle donc en regarder un ? Comment pourrait-elle le toucher ?

Elle fut incapable de parler pendant quelques instants.

– Rappelle-toi que le rat est mort, maître Cor, lui dit Lancelot avec douceur. Il ne peut pas te faire de mal. Rappelle-toi que dans quinze minutes, ton épreuve sera terminée à jamais.

La gorge de Corrie se serra. « Un chevalier toujours brave tu seras. » Elle s'imagina messire Lancelot et messire Gauvain l'appelant messire Gareth, ainsi que les écuyers et les pages lui donnant du « sire ». Messire Lancelot graverait « Gareth » sur son tabouret en bois ; peut-être même aurait-elle son propre bouclier.

C'était la chose la plus difficile qu'elle ait jamais faite. Elle devait à tout prix se forcer pour y arriver.

– D'accord, murmura-t-elle. Je suis prête.

– Très bien.

Messire Lancelot lui tendit le sac. Avant d'avoir le temps de réfléchir, Corrie plongea la main et saisit un morceau de fourrure humide.

– Beurk, ça empeste ! cria maître Jules.

– Silence ! ordonna messire Lancelot.

Corrie tenait le rat aussi loin d'elle que possible en se dirigeant vers la pierre. L'animal était mou et lourd, comme un petit sac de cailloux. Elle le déposa sur le rocher et ferma les yeux.

– Ouvre les yeux, maître Cor. Assieds-toi à côté du rat et ne le quitte pas des yeux. Les autres, restez là et taisez-vous.

Corrie s'assit dans l'herbe et serra ses genoux tremblants. Elle fixait le rat. Son corps était gros, et prolongé d'une longue queue rose et nue. Sa fourrure sombre semblait toute poisseuse.

Ses yeux de fouine étaient toujours ouverts et la fixaient d'un air malveillant. L'animal dégageait une odeur fétide. Le pire était son long museau qui dépassait au-dessus de son horrible petite bouche.

Le cœur de Corrie battait si fort qu'elle en avait mal à la poitrine. Elle crut qu'elle allait étouffer. Au début, elle entendait la circulation, au loin, le cri d'une mouette, Harry qui se mouchait. Puis, elle se sentit faiblir, comme si elle disparaissait à l'intérieur de son propre corps.

Elle ne quittait pas le rat des yeux mais ne le voyait plus. À la place du rat, elle voyait une boîte noire. Elle était assise dans une église humide pleine de monde, et s'appuyait contre Père. Une odeur de lys flottait. Maman se trouvait dans la boîte noire ; du moins c'est ce que disaient les adultes. Corrie, qui avait huit ans, fixait la boîte. De temps en temps, elle jetait un regard à Père. Lui aussi fixait la boîte et son visage était si blême que Corrie se sentait plus terrifiée encore.

Corrie commença à chanceler. Sébastien posa immédiatement les mains sur ses épaules :

– Corrie ? Ça va ?

Corrie revint à elle. Elle regarda les yeux inquiets de Sébastien.

– Est-ce que c'est fini ? murmura-t-elle.

– Pas tout à fait, mais tu as tenu suffisamment longtemps. Tu es sûre que ça va ? J'ai peut-être choisi une épreuve trop difficile.

C'était si rassurant de sentir les mains de Sébastien sur ses épaules que Corrie se laissa aller quelques secondes contre lui. Elle respira profondément puis réalisa que son épreuve était terminée.

Elle bondit sur ses pieds, tournant le dos au rat :

– Je vais bien ! J'ai réussi ! Vous pouvez enlever le rat, maintenant, s'il vous plaît ?

– Bien joué, maître Cor ! dit Sébastien, l'air soulagé. Maître Orlando, tu peux nous débarrasser du rat.

– Oui, sire !

Orly se précipita pour ramasser le rat par la queue, et le fit tournoyer plusieurs fois autour de sa tête avant de le jeter dans les fourrés. Juliette et Harry applaudirent.

– Tu as vraiment eu peur, Corrie ? lui demanda Juliette. Moi, je n'aurais pas eu peur !

– On a tous peur de choses différentes, maître Jules, dit messire Lancelot. Maître Cor a réussi son épreuve. Maître Harry, veuillez revêtir votre chevalier de ses nouveaux effets.

D'un air solennel, Harry sortit une armure, une épée et un bouclier d'un autre sac en papier. Corrie n'avait même pas remarqué qu'il portait ce sac. Harry lui attacha des morceaux de carton recouvert de papier aluminium sur le haut des bras. Il détacha son ancienne épée et fixa la nouvelle à sa ceinture.

Cette nouvelle épée était fabriquée en bois plat, aiguisée en pointe et peinte de couleur argent. La garde, en carton, était recouverte de papier aluminium ; la poignée était entourée de scotch noir, et à l'extrémité se trouvait un pommeau noir fabriqué à partir d'une poignée de tiroir. Le bouclier était encore plus beau avec ses armoiries peintes : des glands de chêne, une tête de chien noir et une étoile jaune. Sébastien avait dû passer toute la semaine à réaliser ces objets.

– C'est magnifique ! s'enthousiasma Corrie. Que veulent dire les symboles ?

– Les glands représentent la force, le chien la loyauté, et

l'étoile signifie que tu es une personne généreuse. Ce sont toutes les qualités dont tu as fait preuve quand tu étais écuyer, maître Cor, et je sais que tu continueras à en faire preuve en tant que chevalier.

Corrie avait le souffle coupé par l'émotion. Messire Lancelot lui ordonna de s'agenouiller devant lui.

– Je vous nomme aujourd'hui messire Gareth, noble chevalier de la Table ronde du roi Arthur, déclara messire Lancelot, plaçant une épée sur chacune des épaules de Corrie. Levez-vous, messire Gareth.

Corrie se redressa lentement. Orly la serra dans ses bras pendant que Juliette et Harry lui tapotaient le dos.

– Félicitations ! s'exclamèrent-ils tous.

– Mes félicitations également, messire Gareth, déclara Sébastien, rayonnant. J'ai hâte que nous vivions de nombreuses aventures ensemble.

– Merci, murmura Corrie.

Elle était un vrai chevalier !

– Salut, Corrie !

Ils firent volte-face : Meredith ! Elle se tenait devant eux, son vélo à la main.

– Je ne m'attendais pas à te voir ici, Corrie ! J'étais en train d'explorer cet ancien terrain de golf, sauf qu'il y a trop de bosses pour rouler. (Elle regardait avec curiosité les armes éparpillées sur le sol.) Qu'est-ce que vous faites ?

– Salut, Meredith, marmonna Corrie en rougissant. On... on joue juste à un jeu.

– Je peux jouer avec vous ?

– Non ! fit Sébastien en regardant Meredith comme s'il s'agissait d'un ennemi. C'est un jeu interdit aux autres.

Meredith saisit son vélo et s'éloigna rapidement. Mais Corrie avait vu les larmes lui monter aux yeux.

– Pourquoi est-ce qu'elle ne peut pas jouer ? demanda-t-elle, surprise par sa propre audace. Nous avons besoin d'un autre écuyer. Elle serait sans doute heureuse d'être le mien.

Corrie refusa de baisser les yeux sous le regard de Sébastien.

– Messire Gareth, je suis choqué, dit-il avec brusquerie. Vous savez que la Table ronde nous est réservée. Personne de l'extérieur n'y a jamais appartenu.

– Pourquoi pas ? répéta Corrie obstinément.

Être chevalier lui donnait du courage.

– Parce que... dit Sébastien d'un air désespéré. Parce que ce n'est simplement pas possible, voilà pourquoi. Et parce que alors, ce ne serait plus un secret. Ça n'aurait plus rien de spécial, ce ne serait plus... sans danger !

Sans danger ? Corrie observait le visage de Sébastien. L'expression égarée qu'il affichait tous les jours en rentrant de l'école était de nouveau là – la peur.

– Je suis désolée, murmura-t-elle. Ce n'est pas grave, Sébastien. Meredith n'a pas besoin d'être l'un d'entre nous. Je ne poserai plus la question.

– Merci, messire Gareth, répondit Sébastien en esquissant un sourire crispé. J'accepte vos excuses. Nous n'en parlerons plus. À présent, montrez-nous de quoi vous êtes capable dans un combat à l'épée contre maître Harry !

Corrie essaya d'être à nouveau messire Gareth lorsqu'elle immobilisa Harry contre un arbre avec son épée. Puis messire Gareth et messire Lancelot s'affrontèrent à coups de lance, tentant de se renverser mutuellement.

– Vous rendez-vous ? demanda messire Lancelot lorsque messire Gareth tomba de son destrier et atterrit sur le sol.

– Je me rends ! s'écria-t-elle en s'efforçant de ne pas rire.

Ils s'entraînèrent ensuite au tir à l'arc, puis galopèrent dans toutes les directions à la poursuite d'un cerf imaginaire. Enfin, ils reprirent le chemin de la maison au trot pour aller déjeuner. Durant tout le trajet, Corrie chercha Meredith du regard.

Le reste de la journée se déroula de manière si agréable que Corrie essaya d'oublier son affrontement avec Sébastien. Rose rentra à la maison d'humeur extrêmement joyeuse. Elle félicita Corrie pour son titre de chevalier et leur prépara de savoureuses saucisses pour le dîner.

Père regardait toujours la télévision avec eux le samedi soir. Ils furent ravis d'apprendre que le film *Hamlet* était diffusé ce soir-là parce qu'ils savaient combien leur père l'apprécierait. Corrie ne comprit pas grand-chose au film, mais ce fut l'occasion de poser de nombreuses questions à Père et d'avoir toute son attention pendant qu'il y répondait patiemment.

– Regarde, Othello, *Hamlet*, ça devrait t'intéresser ! plaisanta Harry.

Il avait trouvé une vieille balle de golf au cours de l'après-midi et s'efforçait de la dépiauter. Après avoir atteint la minuscule balle noire située au centre, il la lança à Othello, qui la rapporta comme un chien l'aurait fait. Puis Othello somnola sur les genoux d'Harry. Les jumeaux s'endormirent également, et Père aida à les transporter jusqu'à leurs lits.

Tous les dimanches matin, quoi qu'il arrive, la famille Bell longeait cinq pâtés de maisons pour rejoindre l'église Saint-Georges. S'il pleuvait, ils arrivaient comme un troupeau de moutons trempés, secouant leurs manteaux et leurs chaussures dégoulinants d'eau.

Souvent, Corrie regrettait qu'ils n'aient pas de voiture, mais Père l'avait vendue peu après l'accident. *Accident...* le mot avait flotté dans l'air comme un nuage noir le soir où Père était rentré en retard à la maison, était resté dans l'entrée le visage blafard et dévasté, puis avait murmuré :

– Mes pauvres enfants, il est arrivé un accident.

Père conduisait la voiture lorsqu'un camion l'avait percutée côté passager, où Maman était assise, la tuant sur le coup. Ce n'était pas sa faute – les adultes ne cessaient de le répéter. Mais Père était persuadé du contraire et s'était juré de ne plus jamais conduire.

Mon pauvre Père, se disait Corrie derrière lui, tandis qu'il entrait à grandes enjambées dans l'église en donnant la main aux jumeaux.

Elle appréciait la manière dont les gens les regardaient, cette grande famille conduite par un père à l'allure si distinguée.

Ils occupaient toute une rangée à eux seuls. Corrie lissa sa robe sur ses genoux et ajusta son béret ; Rose leur demandait toujours de s'habiller pour se rendre à la messe. Et c'était réussi, pensait Corrie. Certes, sous son pantalon, Orly avait les genoux écorchés, et la robe rose de Juliette, qui avait appartenu à Corrie, était trop longue pour elle. La chemise d'Harry était froissée et son propre pull-over avait des trous au niveau des manches. Mais Père portait sa veste en tweed et son gilet assorti comme tous les dimanches, et Rose, bien entendu, était un modèle d'élégance adolescente. Sébastien n'arborait pas de tenue très différente de celle des autres jours, mais il semblait toujours très soigné, avec ses yeux gris à l'expression grave et ses beaux cheveux bruns coupés au niveau du menton.

Pour le plus grand plaisir de Corrie, le premier chant, *Être pèlerin*, était le préféré de Sébastien. Elle lui adressa un sourire par-dessus le livre de cantiques qu'ils partageaient, tandis qu'ils entonnaient en chœur : « Nul ennemi ne peut faire taire Sa puissance, alors qu'Il lutte contre des géants. » Ils étaient messire Lancelot et messire Gareth, réunis dans une chapelle avant la bataille.

En posant son livre de chants, Corrie remarqua, quelques bancs plus loin, une tête brune et bouclée sous un chapeau rouge : Meredith ! Elle ne l'avait encore jamais vue à l'office.

Quelques instants plus tard, tous les enfants sortirent pour se rendre au cours de catéchisme. Meredith évita le regard de Corrie. Elle avait dû se sentir vraiment blessée, hier.

Corrie s'assit autour d'une table avec les autres enfants âgés de dix à onze ans. Elle ne prêtait nulle attention à Mme Rose, le professeur de catéchisme, qui leur lisait l'histoire de Jonas et de la baleine. Elle réfléchissait à la manière dont elle pourrait faire amende honorable auprès de Meredith.

Elle finit par demander l'autorisation de se rendre aux toilettes. À son vif soulagement, elle entendit Meredith formuler la même requête. Elles échangèrent un regard embarrassé devant la porte.

– Je ne savais pas que tu fréquentais cette église, marmonna Corrie.

– C'est notre premier dimanche.

– Je suis vraiment désolée à propos de ce qui s'est passé hier, s'empressa d'ajouter Corrie. Sébastien est comme cela parfois mais, moi, je voulais que tu joues avec nous.

– C'est vrai ? fit Meredith, à la fois circonspecte et pleine d'espoir. J'aimerais être ton amie, Corrie, mais cette semaine, tu as été si désagréable que j'ai compris que toi, tu n'en avais pas envie.

– Mais si ! s'exclama l'autre. C'est juste... Ce n'est juste pas facile avec ma famille, c'est tout.

– J'aime bien ta famille ! Ils sont un peu étranges, mais ils sont intéressants. Tu peux venir chez moi demain après l'école ?

– Bien sûr !

Elles échangèrent un sourire.

– C'est ton père qui était assis avec vous ? demanda Meredith.

Corrie fit oui de la tête.

– Il est vraiment vieux !

– J'imagine qu'il fait âgé pour un père. Il a... enfin, il avait vingt ans de plus que ma mère.

– C'est toi le chat ! s'écria Meredith en lui donnant une tape sur l'épaule.

Corrie la poursuivit dans toute la salle paroissiale. Elles jouèrent jusqu'à la fin du cours de catéchisme, puis rejoignirent la file d'enfants qui attendaient leurs parents à la sortie de l'église. Mme Rose leur fit les gros yeux, en vain. Les professeurs de catéchisme n'avaient pas le même pouvoir que les professeurs d'école.

Le reste du dimanche se déroula de façon aussi paisible qu'à l'accoutumée. La famille s'entassa dans un taxi et Père les emmena déjeuner en ville, à l'hôtel-restaurant où ils se rendaient chaque semaine. Personne ne semblait se préoccuper des jumeaux qui se levaient sans cesse, couraient dans le hall et revenaient raconter ce qu'ils avaient aperçu.

C'était leur seul bon repas de toute la semaine. Corrie se reput de rôti, de Yorkshire pudding[1] et de tarte aux pommes à la crème. Père et Sébastien étaient lancés dans une conversation animée sur le saint Graal ; Père avait d'amples connaissances sur les chevaliers, presque autant que Sébastien.

Corrie se demandait s'il avait deviné qu'il était le roi Arthur. Il avait dû remarquer leur jeu. Encore que. Père était tant absorbé par son propre univers secret qu'il ignorait une grande partie de ce qu'il se passait en dehors.

Au moins, le dimanche sortait-il de son bureau et essayait-il de consacrer toute son attention à ses enfants. Après le retour à la maison en taxi, ils se changèrent et partirent pour une grande promenade sur le terrain de golf. Puis ils rentrèrent et se réunirent dans le séjour autour d'une eau pétillante pour eux et d'un verre de vin pour Père.

Corrie et Harry s'allongèrent sur le sol avec les bandes dessinées du week-end. Les préférées de Harry étaient *Terry et les Pirates* et *Mark Trail* ; Corrie aimait quant à elle *Gasoline Alley* et *Prince Vaillant*. Le prince Vaillant ressemblait beaucoup à Sébastien, avec sa longue chevelure et ses belles manières. Et il était tout aussi courageux. Othello s'affala sur le journal comme il le faisait chaque fois que quelqu'un essayait de lire par terre.

Père jouait aux cartes avec Rose, Orly se pelotonna sur les genoux de son père.

---

1. Plat traditionnel du Yorkshire : crêpe qui accompagne un rôti de bœuf.

– Depuis quand as-tu les cheveux aussi bouclés, Rosalinde ? demanda tout à coup celui-ci.

– Oh, Père, je me suis fait faire une permanente il y a trois semaines ! répondit Rose, l'air agacé. Vous ne vous souvenez pas ? Je vous ai demandé la permission.

Père semblait confus :

– Excuse-moi, ma chère enfant. J'avais oublié. (Il l'observa attentivement.) Ta coiffure te donne l'air beaucoup plus âgée. Tu deviens une vraie petite jeune fille !

Il semblait surpris qu'ils puissent tous grandir.

Père admira la maquette d'avion d'Harry et tenta en vain d'apprendre à Juliette à nouer ses lacets, riant avec les autres enfants lorsqu'elle se contenta d'emmêler les deux boucles.

– C'est ma méthode, se vanta Juliette. Père, est-ce que moi et Orly, nous pourrions avoir d'autres tortues ?

– Orly et moi, la corrigea Père. Je croyais que vous aviez déjà des tortues.

– Elles sont mortes, répondit Juliette.

– Elles meurent toutes, ajouta Rose. Je ne crois pas que tu devrais en racheter.

Juliette semblait si malheureuse que Père déclara qu'ils pourraient commander des tortues pour Noël.

– Père, demanda Harry sur un ton solennel, un garçon de ma classe dit que si on se coupe entre le pouce et l'index, on meurt. C'est pas vrai, dis ?

Père sourit :

– C'est ce qu'on racontait lorsque j'étais jeune ! Non, ce n'est pas vrai. C'est juste de la superstition.

– C'est quoi de la *supstition* ? interrogea Orly.

– Une superstition est une chose fausse que de nombreuses

personnes croient vraie, répondit Père. Comme le fait de penser que les chats noirs portent malheur.

– Mais ils portent malheur ! s'exclama Orly. Je suis bien content qu'Othello soit gris et pas noir.

– Tu peux croire qu'ils portent malheur si tu veux, fit Père en embrassant Orly sur le haut de la tête.

Corrie regardait Orly avec envie ; le temps où elle occupait cette place sur les genoux de Père ne lui paraissait pas si loin. Elle devait se contenter maintenant de se coller contre ses jambes en attendant une interruption dans la conversation. Puis elle raconta à Père qu'elle lisait *L'Aigle de la neuvième légion* et lui demanda de lui parler de l'Empire romain. Elle jouit de toute son attention pendant vingt minutes et apprit plein de choses. Père savait tout ! Il était meilleur qu'une encyclopédie.

Puis il leur posa sa question hebdomadaire :

– Est-ce que tout se passe bien, mes chers enfants ? Comment vous débrouillez-vous avec Mme Smith ?

– Mme Oliphant ! s'écria Juliette. Mais on l'appelle l'Éléphant !

– Ah oui, bien sûr... Mme Oliphant. J'espère que tu ne l'appelles pas ainsi devant elle, Juliette. Il ne faut pas blesser les autres, tu sais. Est-ce qu'elle fait du bon travail ? Est-elle gentille ?

– Mme Oliphant est très gentille avec nous. Tout va bien, Père, déclara Sébastien en lançant aux autres un avertissement du regard.

– Je l'espère, dit Père. Je ne veux pas vous surcharger. Je peux me permettre de demander à Mme *Éléphant* de rester plus tard le soir, si vous le souhaitez.

Juliette éclata de rire en entendant son erreur, mais Corrie savait qu'elle était intentionnelle.

– En fait, nous n'avons pas besoin d'elle, répondit Sébastien. Nous nous débrouillons bien le soir – n'est-ce pas, Rose ?

Rose semblait vouloir le contredire, mais elle finit par hocher la tête en signe d'approbation.

Corrie poussa un soupir. Comment Père pouvait-il ne pas constater la saleté et le désordre de la maison, et les repas immangeables ? Il ne remarquait jamais rien.

C'était au tour de Sébastien de se charger du repas du dimanche soir. Il prépara sa recette habituelle – des hot-dogs et des bâtonnets de carottes. Harry bouda lorsque Orly le battit au concours de hot-dogs : quatre contre trois et demi.

Après le repas, ils regagnèrent le séjour et Père leur fit la lecture. Il avait une voix grave, puissante, avec une légère pointe d'accent britannique ; il avait quitté le Devon pour le Canada à l'âge de seize ans. Corrie l'avait écouté tous les dimanches de sa vie. Quelles merveilleuses histoires ils avaient entendues dans cette pièce ! *Les Contes de Shakespeare* de Lamb, les *Contes* de Grimm, *Le Livre de la jungle*...

Ce soir, Père lisait *Un Yankee à la cour du roi Arthur*, de Mark Twain. Parce qu'il y avait des chevaliers dans le récit, tous écoutaient avec une avidité particulière. Corrie avait réussi à se glisser à côté de son père.

Elle cessa d'écouter, envahie par un nouveau souvenir. Rose et elle étaient assises de chaque côté de tante Madge sur ce même canapé, elles se blottissaient contre elle et pleuraient comme des Madeleine.

– Pleure aussi, Sébastien, avait dit tante Madge, observant avec inquiétude le garçon de onze ans qui se tenait à côté de la cheminée. Essaie, mon petit. Cela te fera du bien.

Sébastien avait jeté à tante Madge un regard plein de mépris :

– Ne me dites pas ce que je dois faire ! Vous n'êtes pas ma mère !

Corrie avait grimpé sur les genoux de sa tante et redoublé de pleurs.

Le souvenir s'envola au moment où Orly porta ses mains à sa bouche et se précipita hors de la pièce. Rose courut derrière lui. Lorsqu'elle revint quelques instants plus tard accompagnée d'Orly, tout pâle, Harry s'exclama :

– J'ai gagné ! Maintenant, j'ai plus de hot-dogs dans le ventre que toi !

– J'en ai quand même mangé plus !

– Allons, les garçons, dit Père en regardant Sébastien. N'est-il pas l'heure d'aller au lit ?

4

Une querelle

Corrie et Meredith étaient assises dans la chambre de cette dernière, une assiette de cookies posée entre elles. Corrie était appuyée contre deux des nombreux chiens en peluche qui envahissaient le lit.

– Raconte-moi votre jeu, la pria Meredith.

Corrie rougit.

– Eh bien, commença-t-elle doucement, nous sommes tous des chevaliers de la Table ronde. Sébastien est messire Lancelot, le plus brave des chevaliers – c'est notre chef. Nous imaginons que Père est le roi Arthur, toujours engagé dans une quête. Parfois, il est aussi Merlin, parce qu'il sait plein de choses. Rose est messire Gauvain et, moi, je suis maintenant messire Gareth. C'est ce que nous faisions sur le terrain de golf : je venais juste d'être nommée chevalier. Harry est l'écuyer de tous les chevaliers, et Juliette et Orly sont nos pages.

– Génial ! fit Meredith. (Elle ne semblait pas trouver ce jeu le moins du monde étrange.) Je sais tout sur les chevaliers – j'ai reçu un livre sur le sujet à Noël, l'année dernière. Mais pourquoi n'êtes-vous que des garçons ? demanda-t-elle. Pourquoi n'y a-t-il pas Guenièvre ni Élaine ?

– Je ne sais pas, répondit Corrie. Je suppose que c'est parce que les chevaliers vivent plus d'aventures que les dames. Parfois, Guenièvre est présente, mais on ne fait que l'imaginer. Nous devons inventer des personnages parce que nous ne sommes pas assez nombreux.

– Depuis combien de temps jouez-vous à ce jeu ?

– Deux ou trois ans, expliqua Corrie. J'ai d'abord été page, puis écuyer de Sébastien. Je pansais son cheval et chevauchais à ses côtés pendant les batailles. On faisait semblant, bien sûr, s'empressa-t-elle d'ajouter.

– Sébastien a vraiment l'air d'un chevalier. Il me ferait presque peur ! observa Meredith tout en grignotant un cookie.

– Il n'y a aucune raison. Il a juste été surpris de te voir samedi.

– Est-ce qu'il est aussi autoritaire dans la vraie vie ? Quand vous ne jouez pas à votre jeu, je veux dire.

– Il n'est pas autoritaire ! C'est le plus gentil, le plus charmant des frères ! s'écria Corrie en tentant de sourire. Bon, peut-être qu'il a l'air autoritaire, mais c'est parce que c'est notre chef. Il prépare nos emplois du temps pour les repas et les bains, nous distribue notre argent de poche et nous dit quand aller au lit. Nous aidons tous, bien sûr. Rose nous achète nos vêtements, je prépare les repas du midi et, Harry et moi, nous raccompagnons les jumeaux de l'école à tour de rôle.

– Mais pourquoi n'est-ce pas ton père qui s'occupe de tout cela ?

Que de questions ! Mais à présent que Meredith était son amie, Corrie devait essayer de répondre avec patience.

– Père est toujours très occupé, expliqua-t-elle. Il fait un travail très important : il donne des cours et il écrit un livre !

68

– Ça, c'est important, déclara Meredith sur un ton sérieux. Puis, se mettant à rire :

– Pourquoi Sébastien a-t-il les cheveux aussi longs ? Ça lui donne l'air d'une fille !

– Il doit les porter ainsi parce que Lancelot avait les cheveux longs – nous avons un dessin de lui. Et je ne trouve pas du tout qu'il ait l'air d'une fille, ajouta Corrie d'un ton pincé.

– Désolée. Je ne le pense pas vraiment. Je le trouve très beau. J'aimerais tant qu'il me laisse jouer avec vous. Je pourrais être ton écuyer !

– Moi aussi, j'aimerais bien.

– Je sais, ajouta Meredith avec enthousiasme. Nous, nous pourrions imaginer que je suis ton écuyer ? Ou alors je pourrais être un autre chevalier ! Perceval ou Galahad ! Toi et moi, on se lancerait dans des quêtes et des aventures, comme avec ta famille. On serait juste des chevaliers secrets !

– Je ne crois pas, répondit Corrie précipitamment. Je ne pense pas que Sébastien apprécierait.

– Mais il ne le saurait pas, jamais !

– Peut-être, mais je ne veux pas, c'est tout, d'accord ?

– D'accord, fit Meredith en haussant les épaules. Nous n'avons qu'à jouer à un concours des plus beaux chiens, alors.

Meredith possédait vingt-deux animaux en peluche. Corrie était particulièrement intriguée par les plus petits disposés en cercle sur sa commode : quatre ours, deux ratons laveurs et un écureuil.

Neuf chiens vivaient sur le lit. Elles s'amusèrent à les répartir en groupes à présenter aux membres du jury, puis à fabriquer des médailles en carton pour récompenser le chien le mieux toiletté, le mieux élevé et le plus beau. Elles étaient plongées dans leur jeu lorsque la mère de Meredith frappa à la porte.

– Qu'en pensez-vous, les filles ? demanda-t-elle. (Elle portait un chapeau bleu et en tenait un autre de couleur violette à la main.) J'essaie de choisir, poursuivit-elle après être entrée dans la pièce et s'être assise sur la chaise.

– Lequel préférez-vous ? Le club de la paroisse de Saint-Georges organise un thé et j'ai envie de faire bonne impression.

Mme Cooper fera toujours bonne impression, se dit Corrie. Ronde comme sa fille, elle avait un visage ouvert et avenant. Elle aimait porter des vêtements colorés et du rouge à lèvres de couleur vive.

– Essaie l'autre, proposa Meredith en se levant pour aider sa mère à ajuster le chapeau. Non, je préfère le bleu. Et toi, qu'en penses-tu, Corrie ?

– Moi aussi, je préfère l'autre, répondit timidement Corrie.

– Ce sera donc le bleu ! Je vais rapporter l'autre.

Meredith s'était enfoncé le chapeau violet sur la tête. Elle s'empara du bleu et en coiffa Corrie.

– Regarde comme ce chapeau fait ressortir la couleur de tes yeux, Corrie, s'exclama Mme Cooper. Tu seras très jolie quand tu seras grande.

Corrie s'empourpra. Personne ne lui avait jamais tenu ce genre de propos. Elle observa dans le miroir son visage encadré par le chapeau. C'étaient Rose et Juliette qui étaient jolies, pas elle. Elle avait le nez trop long et son visage maigre était couvert de taches de rousseur. Elle n'y avait jamais attaché d'importance ; un chevalier n'a pas besoin d'être joli. Mais Mme Cooper avait raison. Sous sa longue frange, ses yeux paraissaient plus bleus qu'à l'accoutumée.

– Tu as de si beaux cheveux bruns, lui dit Mme Cooper. Tu serais ravissante avec des boucles.

Corrie enleva le chapeau et examina ses cheveux raides comme des baguettes dans le miroir.

– Veux-tu que je te mette des épingles à cheveux ?

Avant que Corrie ait pu réagir, Mme Cooper était allée chercher un peigne, un peu d'eau et un bol de pinces à cheveux. Corrie était assise sur une chaise pendant que Mme Cooper enroulait adroitement des mèches de cheveux en fines boucles dans chacune desquelles elle piquait deux épingles. Lorsqu'elle eut terminé, la tête de Corrie ressemblait à une pelote d'épingles. Elles picotaient, mais la jeune fille s'efforça de ne pas protester.

– Et voilà ! fit Mme Cooper en lui tapotant la tête. Ça devrait être sec d'ici environ une heure, ensuite je te les enlèverai et te coifferai.

Corrie et Meredith reprirent leur concours de chiens en peluche.

– J'espère que ça ne t'embête pas, fit Meredith une fois sa mère à distance. Maman aime bien coiffer les autres, et elle ne peut pas faire grand-chose avec moi parce que j'ai déjà les cheveux bouclés naturellement.

– Ce n'est rien, lui répondit Corrie, même si elle appréhendait de voir à quoi elle ressemblerait.

Lorsque toutes ses boucles furent défaites et brossées, elle s'examina avec méfiance.

– Waouh ! s'exclama Meredith.

– Tu es superbe, fit Mme Cooper.

Corrie était horrifiée. Elle avait en face d'elle une étrangère : des boucles crépues jaillissaient de manière artificielle

71

des extrémités de sa chevelure. Elle ressemblait à une adolescente !

– Oh, ma chérie, ça ne te plaît pas, n'est-ce pas ? dit Mme Cooper en la serrant dans ses bras. Ne t'inquiète pas, tes cheveux seront de nouveau raides demain matin. Je suis désolée de t'avoir fait ça. Tu me pardonnes ?

Corrie sourit. Comment pourrait-elle lui en vouloir ? Elle détestait sa coiffure, mais ces horribles frisettes ne tiendraient pas longtemps. Cela valait presque la peine de subir ce supplice pour recevoir une étreinte aussi chaleureuse.

– Qui t'a bouclé les cheveux ? lui demanda Rose dans la cuisine. J'adore !

– Pas moi, lança Sébastien.

Corrie courut jusqu'à l'évier et ouvrit le robinet d'eau froide. Le souffle coupé par le froid, elle se mouilla les cheveux, puis les frotta à l'aide du torchon à vaisselle.

– Voilà ! fit-elle, soulagée. Tout a disparu !

– Oh, Corrie, pourquoi tu as fait ça ? lui demanda Rose en secouant la tête. Tu es un vrai garçon manqué !

– Laisse-la tranquille, Rose, dit Sébastien. Elle n'a que onze ans. Elle est beaucoup trop jeune pour se boucler les cheveux et, en plus, les chevaliers n'accordent pas d'importance à leur chevelure.

– Toi si, répliqua Rose vaillamment. Si tu te faisais couper les cheveux, tu aurais l'air plus normal.

– Mes cheveux sont ma virilité, déclara messire Lancelot. Si je les coupais, je perdrais mon courage. Je vous prie de ne plus jamais évoquer cette question, messire Gauvain !

Rose et lui se foudroyèrent du regard. Ces derniers temps,

ces deux-là se comportaient davantage comme un frère et une sœur qui se disputent que comme des compagnons d'armes.

Corrie prit l'habitude d'accompagner Meredith chez elle pendant l'heure du déjeuner. Au début, elle emportait son sandwich au pain rassis qu'elle s'était préparé à la va-vite. Mais la soupe faite maison, les sandwichs toastés, les desserts et les cookies que Mme Cooper lui proposait étaient si délicieux qu'elle jetait désormais son sandwich. Elle était tellement mieux que dans une classe à moitié vide, en compagnie d'un professeur qui semblait s'ennuyer à son bureau, d'Harry, des jumeaux et des quelques autres enfants contraints d'apporter leur repas à l'école.

Lorsque c'était au tour d'Harry de raccompagner Juliette et Orly à la maison, Corrie passait l'après-midi chez Meredith. Bientôt elle resta de temps en temps pour dîner. M. Cooper et Meredith la raccompagnaient ensuite chez elle à pied.

Un samedi matin, lors d'une réunion de la Table ronde, Corrie dut rendre des comptes sur ces repas.

– Messire Gareth, vous déjeunez trop souvent chez Meredith, lui fit remarquer Lancelot. Ce n'est pas convenable. Sa mère va nous prendre pour des indigents.

– Ça ne la dérange pas, répondit Corrie. Elle adore faire la cuisine. Hier soir, elle a préparé un plat appelé lasagnes.

La jeune fille en salivait encore.

– Ce n'est pas possible, insista messire Lancelot d'un air sévère. Presque tous les soirs, messire Gauvain et vous êtes absents ou rentrez tard. Je dois préparer le dîner tout seul, alors que nous sommes censés le faire à tour de rôle. Je veux que cette situation cesse immédiatement.

Rose semblait très irritée :

– Ce n'est pas juste, Sébastien ! s'exclama-t-elle. Tu sais que je vais aux entraînements de majorettes deux fois par semaine et, les autres soirs, je participe au club de théâtre et à la chorale. Ce n'est pas difficile de servir ce qu'a préparé l'Éléphant, et je m'occupe toujours du dîner le samedi. Et puis, ce n'est pas la peine de m'attendre – je peux manger plus tard.

– Messire Gauvain, ce n'est pas votre tour de prendre la parole. Voulez-vous manifester davantage de respect et m'appeler par mon véritable nom, je vous prie ?

– Je dis ce que je veux, *Sébastien*, rétorqua Rose. Et je fais ce que je veux également. L'école, c'est très important pour moi en ce moment. Je n'abandonnerai rien du tout !

Sébastien lui lança un regard furibond.

– Le roi n'apprécie pas ce genre de comportement, dit-il sur un ton glacial. Hier soir, il m'a demandé où vous étiez toutes les deux.

– Je suis désolée que Père n'apprécie pas, mais il va devoir s'y habituer, répondit Rose la voix cassée, comme prête à pleurer. Les choses ne peuvent pas toujours rester les mêmes, Seb.

Elle se leva, adressa à Sébastien un regard suppliant et sortit précipitamment de la cabane.

Les autres restèrent assis, abasourdis. Orly se rapprocha tout doucement de Corrie et lui prit la main. Corrie regarda le visage profondément peiné de Sébastien.

– Je suis désolée, sire, murmura-t-elle. Si je rentre tous les soirs pour dîner, puis-je encore y aller déjeuner ? Ça ne dérange pas du tout Mme Cooper.

– Merci, messire Gareth, lui répondit Sébastien avec un sourire. Ça me paraît un bon compromis. (Il fronça ensuite les sourcils.) Je suis furieux contre messire Gauvain, dont le comportement ne lui ressemble vraiment pas. Nous allons le mettre en quarantaine jusqu'à ce qu'il retrouve la raison.

– Le mettre en *quoi* ? demanda Juliette.

– En quarantaine. Cela veut dire que nous n'adresserons pas la parole à messire Gauvain de toute la soirée en guise de punition, expliqua messire Lancelot.

– On ne peut plus parler à Rose ? fit Orly, l'air effrayé. Mais si elle me demande quelque chose ?

– Ne réponds pas, répondit Lancelot sur un ton sévère, en regardant leurs visages sombres. Oublions tout ça. Voulez-vous jouer au bestiaire ?

– Oh oui ! s'exclama Juliette.

Elle sortit le paquet de cartes. Sébastien avait inventé ce jeu l'hiver dernier. Il avait dessiné des bêtes médiévales, étiqueté ses dessins puis coupé chaque carte en deux. Chacun leur tour, ils tiraient une moitié de carte et la plaçaient au centre de la table. Le premier à poser une paire et à dire « Animal ! » gagnait la pile de cartes. Le jeu se terminait lorsqu'un joueur avait remporté toutes les cartes.

– Animal ! s'écria Harry en posant un dessin de basilic.

– Animal !

– Aïe Orly, c'était mon jeu !

– Animal !

– Je l'ai dit en premier !

– Non, c'est moi !

Le jeu devint de plus en plus turbulent à mesure qu'ils formaient des paires de basilics, de manticores, de chimères, de vipères, de griffons et de moutons. Alors que les autres étaient entièrement absorbés par le jeu, Corrie ne parvint pas à se concentrer et partit la première.

Elle souriait de ce vacarme mais avait mal au ventre. Elle n'avait jamais vu Sébastien et Rose se disputer ainsi. Les rendez-vous de la Table ronde s'étaient toujours déroulés de manière parfaitement harmonieuse : « Toujours courtois, tu resteras. Généreux et attentionné, tu seras. »

Corrie avait réussi à calmer la colère de Sébastien, pourtant elle était tout aussi coupable que Rose. Depuis qu'elle était amie avec Meredith, elle avait négligé sa famille.

Comment pouvait-elle faire quoi que ce soit qui contrarie Sébastien et Père ? Corrie décida qu'à partir de maintenant, elle serait présente à la maison tous les soirs.

Sébastien fut le seul chevalier qui parvint à mettre Rose en quarantaine. Corrie essaya, mais fut si contrariée par l'expression meurtrie de sa sœur que cela ne dura que quelques minutes. Les plus jeunes oublièrent aussitôt la consigne et discutèrent avec Rose comme de coutume.

– C'est trop difficile pour eux, déclara Corrie à Sébastien pendant qu'ils faisaient la vaisselle. C'est difficile pour moi aussi. (Elle respira profondément.) De toute façon, je ne trouve pas ça correct de nous demander de punir Rose. Nous, nous ne sommes pas fâchés contre elle.

Elle tremblait intérieurement. Sébastien la mettrait-elle en quarantaine elle aussi pour l'avoir défié ?

Il paraissait surtout très las.

– Je ne suis plus en colère contre Rose. C'est juste que je ne la comprends pas ! Parfois on dirait qu'elle ne fait plus partie de la famille ni de la Table ronde.

La Table ronde, c'est la famille, pensa Corrie. *C'est ce qui rend notre vie plus sûre et plus rassurante – mais aussi plus compliquée lorsqu'on veut inclure quelqu'un d'autre, comme Meredith, ou une activité extérieure, comme les majorettes.*

Elle jeta un regard au visage abattu de Sébastien.

– Comment ça va à l'école en ce moment ? lui demanda-t-elle avec précaution. Est-ce que ces garçons t'embêtent toujours ?

– Je n'ai pas envie de parler de l'école, Gareth, répondit-il en baissant la tête. Je te l'ai déjà dit, ce n'est pas la réalité.

Ce qui signifiait qu'il se faisait encore brutaliser. Si seulement elle était le vrai messire Gareth, Terry et sa troupe tâteraient de son épée ! Mais elle ne pouvait rien faire.

– Et pour toi, Corrie, comment va l'école ? demanda Sébastien en tentant de sourire. Tu aimes bien ton professeur ?

– Oh, oui ! Il est nouveau dans l'école. Il s'appelle M. Zelmach et il est très gentil.

Elle raconta à Sébastien que M. Zelmach ne croyait pas aux devoirs.

– Tu as de la chance, répondit Sébastien en faisant la grimace. Moi, j'en ai des tonnes cette année. D'ailleurs, je devrais monter les faire.

Il quittait la cuisine lorsque Corrie l'arrêta. Elle venait d'avoir une idée qui le réconforterait.

– J'ai une requête, messire Lancelot. Ne pourrions-nous pas organiser un festin le week-end prochain ? Le dernier remonte à longtemps.

Les traits de Sébastien se détendirent :

– Excellente idée, Gareth ! Un festin nous fera du bien. Je te loue d'avoir pris l'initiative de le proposer. Je m'attellerai aux préparatifs dès demain.

Rose, à cran avec Sébastien, participa au festin, au vif soulagement de Corrie. Sébastien donna de l'argent à Corrie pour acheter des chips, des biscuits, du fromage, du salami et de l'orangeade. Messire Lancelot leur déclara qu'ils se repaissaient de sanglier, de faisan, de baleine, de cygne et de lapin. L'écuyer et les pages servirent soigneusement chaque chevalier, avant de se servir à leur tour. Ils avaient l'autorisation de manger avec les doigts.

– Messire Lancelot, raconte-nous la fois où tu as découvert la femme toute nue ! demanda Orly.

– Celle dans l'eau bouillante ! ajouta Juliette.

– C'était Élaine de Corbenic, déclara messire Lancelot.

Après leur avoir raconté toute l'histoire, il leva son verre d'hydromel :

– Portons un toast à la Table ronde ! Puisse-t-elle durer à jamais !

– À jamais ! répétèrent-ils.

Corrie trinqua avec messire Gauvain, souhaitant de tout cœur que ce vœu se réalise.

5

Messire Perceval

M. Zelmach était le meilleur instituteur que Corrie ait jamais eu. Ses autres professeurs ne semblaient pas beaucoup aimer les enfants. La plus méchante avait été Mlle Laird. En 4e année, elle avait frappé un élève dans le dos à coups de baguette, pendant que la classe regardait dans un silence terrifié.

M. Zelmach était toujours gentil. Il les appelait « mesdemoiselles et messieurs », ce qui leur procurait un sentiment d'importance. Il était plus enthousiaste à l'idée de faire de la musique ou de la lecture à haute voix que de l'arithmétique ou des sciences. Plusieurs fois par jour, il interrompait leur travail et enjoignait la classe à entonner avec lui une chanson de marins ou une ballade, que ce soit ou non l'heure du cours de musique. Ils avaient déjà commencé à répéter pour le centième anniversaire qui se célébrerait l'année prochaine. Ainsi, ils s'écriaient : « Colombie-Britannique, des montagnes à la mer ! » La chanson préférée de Corrie était *Mon pays est ma cathédrale*.

Douze filles de 5e année devaient être nommées surveillantes. À la grande surprise de Corrie, M. Zelmach lui indiqua qu'elle serait l'une d'elles. Aussi devait-elle arborer un insigne de couleur jaune et se tenir dans le couloir avec les autres surveillantes, afin de tâcher d'obtenir des enfants qu'ils rentrent tous dans le calme après la récréation ou le déjeuner. Aucun d'eux ne les écoutait jamais, et Juliette tirait la langue à Corrie dès qu'elle l'apercevait.

Toutes les autres surveillantes étaient les filles les plus appréciées : le groupe des Cinq, plus six filles de 6ᵉ. Les garçons n'étaient jamais nommés surveillants, car considérés comme trop irresponsables.

Tous les matins, Corrie devait arriver à l'école de bonne heure et rejoindre le groupe des Cinq dans le couloir en attendant la sonnerie. Elle ne parlait jamais à personne, à moins qu'on ne lui adresse la parole. Ce que faisait généralement Darlène. Il y a longtemps, en 2ᵉ année, Darlène avait été la meilleure amie de Corrie. À présent, elle semblait vouloir renouer, comme si le nouveau statut de Corrie devait renouveler leur amitié.

– J'aime bien ton kilt, Corrie, lui dit-elle un jour.

Corrie regarda sa tenue, surprise. Elle n'avait que deux jupes pour l'école qu'elle portait en alternance, celle-ci et une plissée de couleur grise. Le kilt avait appartenu à Rose ; il avait des trous de mite, mais Darlène ne semblait pas l'avoir remarqué.

– J'ai vraiment envie d'avoir un kilt, mais ma mère dit qu'elle m'a déjà assez acheté de vêtements cet automne. C'est chouette, l'écossais !

– Moi, je voudrais une permanente, mais Maman préfère que j'attende le secondaire, se plaignit Sharon.

– Le secondaire ! s'exclama Gail. Ça va être génial ! Vous allez toutes à Laburnum ?

– Moi, je dois aller en pensionnat à Ashdown, répondit Marilyn.

– Moi aussi, fit Sharon.

– Mes pauvres ! commenta Gail. Je détesterais aller dans une école de filles. J'ai envie d'être avec des garçons ! Des garçons plus âgés, pas les idiots de notre école.

Corrie aurait aimé pouvoir fuir ce bavardage ennuyeux, mais en tant que surveillante elle se devait de patienter.

– Vous ne trouvez pas que Meredith porte des vêtements de bébé ? lança Donna. Des manches bouffantes et des robes chasubles, comme si elle avait six ans !

– Et la manière dont elle s'agite pour un rien : « Oh, monsieur Zelmach, c'est *passionnant* ! » imita Sharon.

– Ce n'est pas juste ! répliqua Corrie en oubliant sa timidité. Meredith ne fait pas exprès de s'enthousiasmer, et ce n'est pas sa faute si sa mère l'habille comme ça. Je trouve que vous devriez être plus gentilles avec elle ! C'est mon amie et elle est nouvelle à l'école.

À la stupéfaction de Corrie, toutes semblaient honteuses.

– Désolée, Corrie, murmura Darlène. On avait oublié que c'était ta copine.

Les autres hochèrent la tête.

La cloche retentit et Corrie se précipita à son poste. Sébastien serait fier d'elle – elle avait été aussi brave que messire Gareth !

À l'école, le chant préféré de Corrie était *Les Hommes de Harlech*[1] qui ressemblait à un hymne de chevaliers. « Écoutez !

_____
1. Chant et marche militaire.

J'entends l'ennemi approcher ! » entonnait-elle avec Meredith en regagnant la maison de celle-ci. En chemin, elles remplissaient leurs poches de quantité de belles châtaignes luisantes.

– Sébastien aime bien s'en servir pour nos catapultes, commenta Corrie.

– C'est quoi des catapultes ?

– C'est comme de gros lance-pierres. On les fabrique avec des branches et du caoutchouc extensible que Sébastien a trouvé. Harry a cassé une fenêtre au sous-sol avec la sienne, remarque.

– Oh, non ! Ton père a confisqué la catapulte ?

– Père ne l'a jamais su, répondit Corrie en riant. En fait, la fenêtre est toujours cassée. On a rebouché le trou avec un morceau de carton.

– Comme j'aimerais pouvoir être un chevalier ! fit Meredith lorsque les deux jeunes filles furent installées dans sa chambre avec du lait et des cookies.

Meredith lui répétait la même rengaine tous les jours :

– Je pourrais être Perceval ! J'ai lu des choses sur lui : il devient l'ami d'un lion ! Allez, pourquoi pas, Corrie ? Arrête de dire que Sébastien n'apprécierait pas. Il ne le saurait pas, quel mal cela pourrait-il faire ?

Les yeux de Meredith brillaient et la résistance de Corrie commençait à tomber. Ce serait amusant que Meredith soit Perceval. Elles pourraient fabriquer des épées qui resteraient chez Meredith, et lui construire un bouclier. Certes, Sébastien serait blessé et furieux de la trahison de sa sœur, mais il n'était pas là et Meredith avait raison : il ne le saurait jamais.

– D'accord, répondit Corrie avec un large sourire. Dois-je te faire chevalier ? Tu sais, les chevaliers peuvent en adouber d'autres.

– Oh, oui !

Meredith se précipita au bas des escaliers et revint précautionneusement, munie d'un long couteau à découper.

– Maman me tuerait si elle savait que j'ai pris ce couteau, mais elle ne rentrera pas avant un moment. Ça fera une parfaite épée.

– Je viens de me rappeler, commença Corrie. Tu dois subir une épreuve, comme celle à laquelle j'ai eu droit.

Elle réfléchit un instant. De quoi Meredith avait-elle peur ? De l'altitude...

– Ton épreuve sera de grimper tout en haut du cèdre de ton jardin, annonça-t-elle.

En voyant Meredith blêmir, Corrie regretta ses propos. Elle n'aimait pas disposer de ce genre de pouvoir.

Mais il était trop tard à présent.

– D'accord, je vais le faire ! s'écria Meredith.

Elle descendit bruyamment les marches comme si elle tentait de dépasser sa peur.

Le cèdre était immense. Corrie s'était souvent hissée jusqu'à son sommet, mais Meredith l'avait toujours attendue en bas. Pourtant, aujourd'hui, elle grimpa vite, jusqu'au moment où Corrie aperçut son visage blême tourné vers elle depuis la cime de l'arbre.

– Je peux redescendre ? interrogea Meredith, tremblante.

– Oui, redescends tout de suite !

Mais Meredith regarda en bas et s'immobilisa :

– Je *ne peux pas*, répondit-elle d'une voix faible que Corrie ne lui avait jamais entendue jusqu'alors.

– Allez, Meredith, je vais t'aider. Il y a une grosse branche juste sous ton pied droit.

– Non, je ne peux pas ! répondit Meredith qui s'était mise à pleurer. J'ai le vertige ! Je vais tomber !

Corrie était dans tous ses états. Qu'avait-elle fait ? Et si son amie chutait de l'arbre et se tuait ? Ce serait entièrement sa faute.

Elle respira profondément. « Un chevalier toujours brave tu seras. » Elle était Gareth, valeureux chevalier de la Table ronde.

Elle se força à prendre une voix calme.

– Maître Meredith, cria-t-elle. Tu ne dois pas paniquer. Ce n'est pas un arbre dangereux et tu ne vas pas tomber. N'oublie pas que tu vas devenir chevalier. Tu n'en as plus envie ?

– Si-i, répondit Meredith la gorge serrée.

– Alors, descends en prenant ton temps et en faisant attention, et tout ira bien. Commence par le pied droit... Très bien.

Corrie se surprit elle-même en guidant Meredith le long du cèdre. Sa voix était aussi calme que celle de Lancelot et semblait également apaiser Meredith.

Celle-ci atteignit enfin la dernière branche et s'écroula sur l'herbe.

– Bravo, maître Meredith ! s'écria Corrie.

Elle donna une tape sur l'épaule de son amie dont les joues étaient ruisselantes de larmes.

– Oh, Corrie, j'étais *terrifiée* ! Mais j'ai *réussi* !

– Oui, tu as réussi ! Maintenant, tu peux devenir chevalier !

Elles se précipitèrent à l'intérieur en riant et remontèrent à l'étage. Meredith s'agenouilla aux pieds de Corrie. Celle-ci posa la lame du couteau sur l'épaule gauche, puis sur l'épaule droite de Meredith en déclarant d'un ton solennel :

– Je te nomme messire Perceval, noble chevalier de la Table ronde du roi Arthur.

– Et voilà ! fit Meredith en se relevant d'un bond, rouge de plaisir.

Elles rangèrent le couteau dans la salle à manger et passèrent le reste de l'après-midi à fabriquer des épées à partir de pièces de bois dénichées dans l'atelier de M. Cooper.

L'existence de Perceval était un secret difficile à garder.

– Est-ce que Meredith est aussi un chevalier ? demanda Orly un jour où Corrie et Meredith descendaient la rue en galopant sur leurs chevaux imaginaires.

Corrie décida qu'il était moins dangereux de mettre Orly, Juliette et Harry dans la confidence que d'essayer de leur cacher la vérité. Elle les emmena à Camelot et leur fit jurer sur leurs épées de garder le secret. Les jumeaux s'exécutèrent volontiers, mais Harry se montra plus réticent :

– Si Sébastien ne veut pas que Meredith soit chevalier, je ne crois pas qu'elle devrait l'être.

– C'est juste entre Meredith et moi, lui expliqua Corrie. C'est un *autre* jeu, pas le vrai. De toute façon, elle sera chevalier, qu'on le veuille ou non. Qu'y a-t-il de mal à ça ? Sébastien n'a pas besoin de le savoir.

Harry finit par accepter. Corrie ne se sentait que légèrement coupable. Elle était surtout ravie d'avoir une camarade chevalier.

Messires Gareth et Perceval essayèrent de transformer leurs vélos en chevaux en attachant des rênes aux guidons, mais elles n'arrivaient pas à pédaler sans tomber. Elles commencèrent la rédaction d'un journal dans lequel elles notaient toutes leurs aventures. Puis elles se mirent à prétendre que l'école était une école de chevalerie, tout comme Corrie autrefois. Quand

Donna ou Sharon racontaient à quel point elles trouvaient Elvis séduisant, Corrie et Meredith échangeaient un regard plein de fierté. Elles étaient chevaliers de la Table ronde. Jamais elles ne seraient aussi sottes.

Corrie se disait que tout irait bien tant qu'elle parviendrait à ne pas mélanger les deux jeux. Meredith la suppliait de s'amuser avec elle le samedi après-midi après les rendez-vous de la Table ronde, mais Corrie s'efforçait de consacrer ses samedis à sa famille.

La situation se compliquait les jours où elles jouaient chez Corrie après l'école. Corrie tentait de persuader Meredith de s'amuser à autre chose, au cas où Sébastien rentrerait pendant la présence de son amie.

Un après-midi de pluie, Meredith demanda si elle pouvait jeter un coup d'œil à l'intérieur de Camelot.

– Camelot ! répondit Corrie affolée. Non, je suis désolée mais...

– Sébastien ne serait pas d'accord, termina Meredith. Mais il est sorti, non ?

Sébastien avait accompagné Harry en bus jusqu'au centre-ville. Ils ne seraient pas de retour avant le dîner.

– Allez, s'il te plaît, Corrie, supplia Meredith. C'est peut-être notre seule occasion. Je ne toucherai à rien et je ne le dirai pas à Harry ni aux jumeaux. Je veux juste savoir ce qu'il y a à l'intérieur. Ça m'aiderait à devenir un meilleur chevalier, de voir toutes vos affaires.

De guerre lasse, Corrie la conduisit jusqu'à Camelot, après s'être assurée que Juliette et Orly étaient occupés à regarder le *Mickey Mouse Club*.

– C'est merveilleux ! s'extasia Meredith. La table est vraiment ronde !

Elle passa tout en revue : les murs où étaient accrochés les blasons, les croquis représentant toutes les pièces d'une armure, ainsi que les calendriers des joutes et des chasses au faucon.

– Voici mon siège, dit fièrement Corrie en montrant à Meredith le tabouret sur lequel était gravé « Gareth ».

Elles passèrent un si long moment à Camelot que Corrie perdit la notion du temps. Tout à coup, elle remarqua que le jour était tombé.

– Partons ! la pressa-t-elle. Et si jamais ils étaient revenus ?

Au moment même où elles s'engouffrèrent dans la maison par la porte de service, Sébastien et Harry arrivaient de l'entrée principale, secouant leurs vestes trempées par la pluie.

– Nous sommes allés chez Woodward's[1], Corrie, fit Harry. Regarde ce que j'ai acheté avec mes économies sur mon argent de poche !

Il sortit une maquette de vaisseau spatial d'un sac en papier.

– Je n'avais pas tout à fait assez d'argent, mais Sébastien a payé la différence.

Sébastien regardait fixement leurs cheveux ruisselants :

– Pourquoi êtes-vous trempées comme ça toutes les deux ?

« Tu ne mentiras point. » Corrie ne parvint pas à répondre.

– Je veux te parler, Corrie, déclara Sébastien en regardant Meredith avec insistance.

– Je vais m'en aller, maintenant, dit cette dernière. Au revoir, Corrie. On se verra demain.

– TU LUI AS MONTRÉ CAMELOT ? demanda Sébastien.

---

1. Enseigne de grands magasins canadiens.

Il n'avait pas fallu à Corrie plus de quelques secondes pour avouer.

– Je n'ai pas pu faire autrement ! répondit-elle, tâchant de contenir ses larmes. Elle me demandait sans arrêt d'y aller. J'ai fini par céder.

– Pourquoi est-ce qu'elle le demandait ? Comment peut-elle savoir que cette cabane a quelque chose de particulier ?

– Je suppose que c'est parce que... je le lui ai dit, murmura Corrie.

Ils étaient assis dans la chambre de Sébastien. Celui-ci se leva, alla jusqu'à la fenêtre, puis se retourna. Corrie ne supporta pas son expression meurtrie.

– Vous m'avez trahi, messire Gareth, dit-il lentement. Vous savez que la Table ronde est notre secret. C'est très grave.

Corrie savait qu'elle aurait dû répondre « Oui, sire » et attendre que Sébastien lui annonce sa sanction. Mais elle ne put s'empêcher d'argumenter :

– Sébastien, pourquoi Meredith ne doit-elle pas voir Camelot ? C'est mon amie ! Et elle a vraiment envie de faire partie de la Table ronde. Elle serait géniale : elle sait tout sur les chevaliers, elle est courageuse et chevaleresque, et elle...

– Non ! rétorqua Sébastien. Elle ne peut pas en faire partie, c'est comme ça, un point c'est tout ! Tu me surprends, Corrie, tu me surprends et tu me déçois. Je pense que tu devrais cesser d'être amie avec Meredith.

Il était à présent Sébastien, et non plus Lancelot, ce qui rendait ses paroles plus blessantes encore. Mais Corrie ne baissa pas les yeux.

– Je suis désolée, poursuivit-elle avec insistance. Je n'emmènerai plus Meredith à Camelot, mais je n'arrêterai pas de la voir. C'est ma meilleure amie !

– Mais tu nous as, nous ! fit Sébastien d'une voix brisée. Tu n'as pas besoin d'amies ! Tu as la Table ronde ! Tu n'as jamais eu besoin de personne, avant. D'abord Rose, puis toi... Qu'est-ce qui ne va pas, Corrie ? Cette famille ne te suffit pas ? Pourquoi êtes-vous toutes les deux aussi déloyales ?

Corrie se radoucit :

– Il n'y a rien qui n'aille pas, Sébastien, répondit-elle gentiment. J'adore la Table ronde. J'adore être messire Gareth. Je ne vais pas t'abandonner, je te le promets. Mais j'ai vraiment besoin d'une amie. Meredith est ma première véritable amie depuis des années, et je ne vais pas y renoncer.

– Très bien, fit Sébastien en esquissant un sourire. Je suis content que tu aies une amie. Tant que tu continues à être un chevalier loyal. Et que tu promets de ne jamais montrer de nouveau Camelot à Meredith.

Corrie promit. Elle quitta la pièce le cœur serré. Elle avait dit tout ce qu'elle avait à dire : elle ne voulait pas mettre un terme à son amitié avec Meredith. Mais comment réagirait Sébastien s'il savait que Meredith était Perceval ? Était-ce aussi déloyal que de lui montrer Camelot ? Comment sa vie était-elle devenue si compliquée ?

L'approche d'Halloween constitua une distraction bienvenue. Corrie aida Juliette et Orly à fabriquer des costumes de Zorro. Harry serait un cosmonaute. Corrie et Meredith décidèrent de se déguiser en mordues de la lecture. Elles découpèrent les côtés d'une grande boîte en carton qu'elles peignirent pour figurer le dos et la couverture des livres, les attachèrent ensemble avec de la ficelle et les enfilèrent à l'épaule. Elles glissèrent chacune un vieux bas de Mme Cooper sur leur tête.

Harry sculpta une citrouille pour lui donner l'apparence d'un Spoutniks, et Sébastien leur acheta des diablotins. Rose se déclara trop grande pour aller sonner de porte en porte et réclamer des bonbons. Son club organisait pour l'occasion une surprise-partie.

Rose et Joyce avaient d'ores et déjà atteint leur objectif en réussissant à se faire apprécier. Elles avaient fondé un groupe appelé les Onze Mystérieuses. Ces onze jeunes filles se réunissaient tous les samedis soir dans une maison différente.

– Nous sommes supposées faire des collages d'anciennes cartes de Noël pour des albums destinés à l'hôpital pour enfants, expliqua Rose à Corrie. Ça ne dure pas très longtemps. Ensuite, on discute, on mange et on s'entraîne à danser le swing. Je ne sais pas ce que je ferai quand ce sera mon tour d'organiser la soirée à la maison.

– On pourra peut-être demander à Père de nous emmener tous au cinéma pour que vous ayez la maison pour vous, suggéra Corrie.

– Mais regarde la maison : elle est dans un désordre effroyable, et ça sent partout le renfermé ! se désola Rose.

L'Éléphant avait presque renoncé à faire le ménage. La gouvernante avait installé une table dans un coin de la cuisine. Elle y avait posé un puzzle auquel elle travaillait lorsqu'elle ne lisait pas ses magazines. Le volume de la radio était si fort qu'elle les entendait à peine entrer et sortir. Toutes les surfaces de la maison étaient recouvertes d'une épaisse couche de poussière. Quand Othello ne faisait pas la sieste, il avait de quoi s'occuper avec les souris qui pullulaient au sous-sol ou avec les poissons d'argent dans les salles de bains.

– Nous pourrions t'aider à nettoyer, proposa Corrie à sa sœur.

– Merci, mais je ne veux pas m'en occuper pour l'instant. Mon tour n'est pas pour tout de suite.

Rose continua à parler à Corrie de sa soirée à venir. Chaque fille invitait un garçon :

– Je vais demander à Ronnie de m'accompagner. Tu te souviens, il était avec moi en 6ᵉ année ? Le garçon étrange aux cheveux roux bouclés ? À l'époque, il était petit et c'était un vrai casse-pieds, toujours à imiter Woody Woodpecker. Maintenant, il a tellement grandi que tu ne le reconnaîtrais plus, et il est beaucoup plus gentil. Je le trouve mignon !

Corrie essaya de rire avec Rose, mais il devenait de plus en plus difficile d'avoir des points communs avec cette grande sœur sophistiquée, tout comme avec un grand nombre des filles de sa classe. Était-ce normal qu'elle ne s'intéresse ni aux garçons, ni aux surprises-parties, ni au rock and roll ?

Heureusement, c'était aussi le cas de Meredith. Au moins elles étaient deux. C'était beaucoup plus amusant d'être des chevaliers que de soupirer pour quelque garçon ennuyeux.

Meredith était enchantée de la manière dont se déroulait Halloween à Vancouver.

– C'est vraiment différent ici ! À Calgary, nous disions « Pommes d'Halloween » et pas « Des bonbons ou un mauvais sort ! ». Et nous n'avons jamais eu de diablotins.

Corrie et Meredith parcoururent trois pâtés de maisons et rapportèrent de lourdes taies d'oreiller remplies de bonbons. Elles arrachèrent leur costume inconfortable et rejoignirent les autres au terrain de golf. Orly agrippait la main de Corrie tandis qu'ils avançaient en trébuchant dans l'obscurité. Tout autour d'eux, les enfants du quartier faisaient exploser leurs pétards. Sébastien autorisa les jumeaux à lancer de petits modèles, tandis qu'Harry s'extasiait en jetant des toupies volantes en l'air. Ils eurent le souffle coupé à la vue des fusées qui grimpaient à toute allure en formant des boules de couleur, puis applaudirent lorsque Sébastien alluma la mèche du traditionnel pétard de « l'école en flammes », dont la maquette explosa dans une belle détonation.

Les pétards préférés de Corrie étaient les cierges magiques. Elle agita les siens qui dessinèrent des faisceaux lumineux, puis écrivit « Gareth » dans les airs. À côté d'elle, Meredith forma les lettres de « Perceval ». Par chance, Sébastien ne remarqua rien.

6

Mordred

Le mois de novembre était d'un froid mordant, avec de belles couleurs mordorées. Dans la rue des Bell, les jours de vent, les feuilles et les marrons pleuvaient. Corrie, Meredith, Harry et les jumeaux ratissaient les feuilles mortes sur le trottoir et les faisaient brûler.

– Hé Meredith, tu veux écouter notre chanson ?

Juliette et Orly se mirent à fredonner l'horrible refrain qu'ils répétaient depuis Halloween :

Les vers y entrent, les vers en sortent,
De ton museau et dedans ton vent',
Ton estomac se transforme en bouillie,
Le pus en jaillit comme de la crème chantilly !

– C'est nous qui l'avons inventée, déclara fièrement Juliette.

– Pas du tout, la contredit Corrie. Tout le monde connaît cette chanson, elle est très ancienne.

– À Calgary, on disait aussi : « Ils te mangent les yeux, ils te mangent le nez, ils te mangent les pelures entre les orteils », raconta Meredith.

Juliette leur lança un regard furieux et s'enfouit sous les feuilles éparpillées sur l'herbe. Elle se roula dessous et s'en retrouva toute tapissée.

Au milieu du feu où se consumaient les feuilles mortes, les marrons commencèrent à crépiter.

– J'aurais bien aimé que ce soient des châtaignes pour qu'on puisse les manger, regretta Corrie.

Dans la rue, les gens brûlaient leurs tas de feuilles ; un nuage de fumée s'élevait au-dessus du quartier.

– Mes parents ne me laisseraient jamais allumer un feu toute seule ! fit Meredith. Vous avez de la chance que votre père vous y autorise.

– Nous ne lui avons jamais demandé, déclara Corrie en haussant les épaules. Il n'y a pas de danger tant qu'on fait juste du feu dans la rue. Harry, prête le râteau à Orly.

– C'est mon tour ! s'écria celui-ci.

Les deux garçons tirèrent sur l'outil jusqu'à ce qu'Harry l'arrache des mains d'Orly, le faisant tomber à la renverse. Le petit garçon se mit à pleurer.

– T'es un vrai pleurnichard, lui lança Harry.

– Ce n'est pas vrai, fit Juliette qui avait quitté son tas de feuilles pour se précipiter vers ses frères.

– T'es toujours méchant avec moi ! sanglota Orly.

– C'est vrai quand même parfois, Harry, observa Corrie. C'était son tour.

Harry n'écoutait pas.

– Voilà Sébastien, dit-il en montrant du doigt un vélo qui arrivait vers eux à toute allure. Regardez sa figure !

Corrie laissa tomber son râteau et courut vers la bicyclette :

– Qu'est-ce qu'il s'est passé ? demanda-t-elle à son frère aîné.

Le visage de Sébastien était maculé de sang. Il avait le nez meurtri et un œil tout rouge et boursouflé.

– Je n'ai pas envie d'en parler, murmura-t-il, jetant son vélo à terre.

Il se précipita à l'intérieur de la maison en claquant la porte.

– Sébastien le taré, Sébastien le taré ! scandait un groupe de garçons qui arrivaient à bicyclette.

Ils s'arrêtèrent devant la maison, puis s'éloignèrent en continuant de proférer des injures par-dessus leurs épaules.

Corrie ramassa un marron brûlant et le lança dans leur direction. Elle frotta ensuite sa paume et dit d'une voix entre-coupée :

– Comment peuvent-ils le traiter ainsi ? Oh, mon pauvre Sébastien !

Meredith lui tapota l'épaule.

– Restez tous à côté du feu jusqu'à ce qu'il s'éteigne, leur ordonna Corrie.

Elle courut au deuxième étage et trouva Sébastien dans la salle de bains, en train de se tamponner le nez avec un gant de toilette humide.

– Je les *déteste* ! cria-t-elle. (Elle examina le nez et l'œil enflés de Sébastien.) Que s'est-il passé ?

– Ils m'ont insulté, alors je leur ai dit qu'ils n'étaient que de la racaille... Après, ils m'ont roué de coups.

– Où ça ?

– Derrière l'abri à vélos. Ils m'ont traîné là-bas. Mais j'ai couru jusqu'à mon vélo et je me suis enfui, ajouta-t-il fière-ment. Je crois que mon nez ne saigne plus.

Il s'assit sur le rebord de la baignoire pendant que Corrie l'aidait à se nettoyer le visage.

– Tu dois absolument faire quelque chose, Sébastien ! Il faut prévenir le principal !

– Je ne peux pas ! dit-il en levant les yeux vers elle, l'air malheureux. Tu le sais, Corrie. Ils seront encore pires si je le préviens.

– Comment peuvent-ils être encore pires ? On les a vus : lorsque tu es rentré à la maison, ils sont passés à vélo en t'insultant.

– Ils vous ont fait du mal ? demanda Sébastien d'un ton féroce.

– Non, ils ont poursuivi leur chemin, répondit Corrie en appliquant le gant de toilette contre sa main encore douloureuse. Il doit bien y avoir quelqu'un à qui en parler. Père...

– Non ! Je ne veux pas qu'il s'inquiète pour nous. Je vais arranger ça, Corrie. (Les traits de son visage tuméfié se durcirent.) Terry est mon ennemi mortel : c'est Mordred. Je vais m'allonger, à présent, d'accord ?

Il quitta la pièce et Corrie entendit sa porte se refermer. En s'engageant dans le couloir, elle perçut des bruits étouffés en provenance de la chambre de Sébastien.

« Jamais tu ne pleureras. » Corrie s'accroupit sur la marche du haut et tendit une oreille attentive, mais plus aucun son ne sortit de la pièce. Elle mourait d'envie de rejoindre sa chambre, de se rouler en boule pour pleurer elle aussi, mais elle devait aller aider Meredith à éteindre le feu.

– Je pense que nous devrions prévenir Père, confia-t-elle à Rose ce soir-là.

Sébastien avait passé toute la soirée dans sa chambre ; ils

avaient dit à leur père qu'il ne se sentait pas bien. Corrie lui apporta un plateau-repas, mais il n'y toucha pas.

– Il irait parler au principal, et Terry deviendrait encore plus méchant.

– C'est ce que dit Sébastien, ajouta Corrie. Qu'est-ce qu'on peut faire, alors ?

– Eh bien, Seb pourrait se faire couper les cheveux – mais il ne veut pas. Je suis désolée, Corrie. J'aimerais bien faire quelque chose, mais c'est en partie sa faute.

– C'est faux !

Elles se disputèrent pendant quelques instants encore, jusqu'à ce que Corrie sorte, exaspérée, claquant la porte de Rose. Sa sœur aînée était désespérante en ce moment. Elle semblait avoir oublié qu'elle était Gauvain, le meilleur ami de Lancelot.

Tout au long de la journée suivante, Corrie se demanda si elle devait ou non prévenir son père. Meredith aurait voulu qu'elle l'accompagne en courses avec sa mère, mais Corrie rentra directement à la maison après l'école. Elle grimpa dans son cerisier préféré. C'était le refuge parfait ; les gens passaient dans la ruelle sans même savoir qu'elle était là. Lorsqu'elle était plus jeune, elle avait baptisé l'arbre Vigile, parce qu'il semblait monter la garde du jardin. Elle s'adossa au tronc de Vigile et son angoisse s'atténua.

Je vais prévenir Père, décida-t-elle. *C'est un adulte – il saura quoi faire.*

Au dîner, le nez de Sébastien était moins rouge mais son œil avait pris une couleur violacée.

– Mais regarde-moi ton visage, mon garçon ! s'exclama Père de sa voix rauque. Qu'a-t-il bien pu t'arriver ?

97

– Je suis tombé de vélo, répondit calmement Sébastien. Ça n'est pas aussi douloureux que ça en a l'air.

– Tâche d'être plus prudent, lui dit Père avant de retourner à son repas.

Corrie l'observa avec tendresse se concentrer sur chaque morceau de pâté de viande avec autant d'attention qu'il se concentrait sur ses livres. Ce serait agréable de lui parler seul à seul ; cela ne lui était pas arrivé depuis longtemps. Peut-être même la laisserait-il s'asseoir sur ses genoux.

Elle constata que son père devenait de plus en plus chauve. Puis elle sourit en elle-même ; moins son père avait de cheveux sur la tête, plus il avait de poils qui lui sortaient par les oreilles.

Une fois tout le monde dans les étages, occupé à faire ses devoirs ou à prendre son bain, Corrie se dirigea vers le bureau de Père, prête à frapper à la porte.

– Qu'est-ce que tu fais ?

Corrie sursauta. Sébastien était arrivé derrière elle.

– Oh, j'allais juste parler à Père.

– À quel propos ?

– Eh bien... commença Corrie en rougissant.

Sébastien fronça les sourcils :

– Tu allais lui raconter ce qui m'est arrivé, n'est-ce pas ?

« Tu ne mentiras point. » Corrie dut faire signe que oui.

– Alors que je t'ai demandé de ne pas le faire ?

– C'était pour toi, Sébastien ! Cela me paraissait la meilleure chose à faire !

Sébastien la conduisit jusqu'au séjour.

– Je te remercie de ta sollicitude, Corrie, mais tout va bien maintenant.

98

Il lui raconta que M. Selwyn, le directeur, l'avait fait venir dans son bureau pour lui demander ce qu'il lui était arrivé au visage.

– Je lui ai dit que je m'étais battu avec un garçon de mon quartier qui ne fréquentait pas l'école. Il a été très surpris, évidemment, parce que je ne me bagarre jamais. Il m'a fait un sermon et m'a laissé partir.

Terry et sa troupe avaient aperçu Sébastien entrer dans le bureau. Ils l'avaient entraîné dans les toilettes des garçons et lui avaient demandé s'il avait parlé.

– Ils avaient l'air d'avoir peur, ajouta Sébastien avec un sourire. Je savais que j'avais enfin l'avantage. Ils m'ont dit que si je les avais dénoncés, ils me frapperaient encore plus fort. Je leur ai répondu que je n'avais rien dit mais que je le ferais – même s'ils me frappaient – s'ils ne me laissaient pas tranquille.

– Ils ont accepté ?

– Oui ! Enfin, pendant un certain temps en tout cas, a dit Terry. Il a détesté devoir capituler, mais il n'a pas eu le choix. Et ils m'ont évité pendant le reste de la journée.

– Bien joué ! s'exclama Corrie.

Messire Lancelot sourit à nouveau :

– Oui, Gareth – j'ai remporté cette manche. Mordred refrappera un jour ou l'autre, mais pour l'instant il se tient à distance.

Corrie alla prendre une pomme dans la cuisine. Elle regarda avec regret la porte close de Père, mais à présent elle n'avait plus de raison de le déranger.

L'anniversaire de Père aurait lieu le vendredi suivant. En général, ils lui préparaient un dîner spécial. C'était toujours une surprise parce que Père ne se souvenait jamais de son anniversaire.

Cette année, Sébastien leur annonça qu'il préparerait tout lui-même.

– Ça vous plaira, affirma-t-il avec un large sourire. En particulier à vous, Juliette et Orly.

Les jumeaux essayèrent de lui tirer les vers du nez, mais il ne voulut rien dévoiler. Corrie les observait avec soulagement. Le moral de Sébastien sembla revenir à mesure que ses plaies s'estompaient. Il n'avait plus qu'une petite marque verdâtre sous l'œil.

Ils réservaient la distribution de ses cadeaux à leur père au moment du dîner, car il se levait très tard. Corrie et Rose avaient réuni leur argent de poche pour lui acheter une écharpe écossaise rouge. Harry lui avait fabriqué un vaisseau spatial avec des cure-dents, et les jumeaux avaient colorié un immense dessin de dinosaure.

Quand Sébastien rentra à la maison cet après-midi-là, il leur demanda de les retrouver dans l'entrée juste avant le retour de Père à dix-huit heures.

– Ne soyez pas en retard ! les prévint-il.

Corrie emballa avec soin le présent de Père. Il restait encore une demi-heure à attendre. Elle s'assit dans la cuisine et s'attela au puzzle de Mme Oliphant. L'Éléphant se mettait en colère lorsqu'ils touchaient à son jeu, mais c'était difficile de résister à la tentation devant le puzzle posé là toute la soirée. Une fois, Corrie et Harry l'avaient entièrement terminé. Ils l'avaient ensuite défait pièce par pièce, ce qui n'avait pas apaisé la mauvaise humeur de la gouvernante.

La cuisine ne dégageait pas d'odeur de repas comme

d'habitude à cette heure-là. L'Éléphant était partie à dix-sept heures, comme à l'accoutumée. Avait-elle oublié de préparer le dîner ? Corrie jeta un coup d'œil dans le four : il était vide.

Pas de dîner, et c'était l'anniversaire de leur père ! Elle se souvint que Sébastien avait déclaré se charger de tout.

– Dépêche-toi, Corrie, il est presque dix-huit heures ! lança Sébastien.

Corrie se précipita dans le couloir.

– Mettez vos manteaux ! les pria Sébastien.

Père ouvrit la porte.

– Eh bien, bonsoir, mes enfants ! Qu'est-ce que vous faites tous là ?

– Nous sortons ! annonça Sébastien. Au cirque !

– Au cirque !

Ils sautèrent de joie sur place et Père afficha un visage rayonnant. Il avait toujours adoré le cirque.

– Mais, mon garçon, comment diable t'es-tu procuré les billets ? Je les aurais pris moi-même si j'avais su que le cirque était en ville.

– Je les ai gagnés ! répondit fièrement Sébastien. Il y a eu une tombola à l'école et j'ai remporté le premier prix : un billet pour deux personnes. Pour les autres places, j'ai ramassé des feuilles mortes chez des gens et j'ai aidé M. Hanson, le voisin qui habite plus loin dans la rue, à débarrasser son garage. C'est ce que je faisais ces deux dernières semaines quand je te disais que j'avais un projet à l'école.

– Sébastien, mon cher enfant, comme c'est gentil et généreux de ta part ! Merci beaucoup !

– Le seul problème, commença Sébastien d'un air penaud,

c'est que j'ai oublié le dîner. J'ai demandé à l'Éléphant de le mettre au frais, parce que nous n'avons pas le temps de manger maintenant. Le spectacle commence à dix-neuf heures, alors il faut qu'on prenne le bus tout de suite. Est-ce que vous pourrez tous attendre la fin du cirque pour dîner ?

– Ne t'inquiète pas pour cela, mon garçon ! Je vous achèterai des hot-dogs ou du pop-corn ou ce que vous voudrez. Et je vous emmène tous en taxi pour que nous ne soyons pas en retard.

– Tu veux dire que je pourrai manger juste du pop-corn pour le dîner ? demanda Juliette.

– Si tu veux.

– Chouette !

Rose et Sébastien étaient les seuls à être déjà allés au cirque. La soirée fut un passionnant défilé de clowns, d'animaux savants et d'acrobates. Depuis leurs places dans les gradins, ils poussèrent des oh et des ah, applaudirent et rirent, tout en engloutissant hot-dogs, pop-corn, glaces et barbes à papa. Les numéros préférés de Corrie étaient ceux des trapézistes ; on aurait dit qu'ils volaient dans les airs. Père était tout aussi joyeux qu'eux, pointant du doigt les détails de chacun des numéros animés. Par miracle, personne ne fut malade.

Ils rentrèrent très tard mais restèrent éveillés pour l'ouverture des cadeaux de Père. Celui-ci les remercia tous et répéta à Sébastien :

– C'était un très gentil cadeau, mon garçon, un cadeau pour nous tous. Merci encore.

Sébastien leva vers sa famille un visage rayonnant. Il avait montré ce soir le meilleur de lui-même, dans tout ce qu'il avait de plus chevaleresque, pensa Corrie, comme il s'était souvent comporté avant son entrée au collège, et avant la mort de Maman. Si seulement il pouvait être toujours aussi heureux. Si seulement tous pouvaient l'être.

7

L'anniversaire

Sébastien ne revenant plus à la maison amoché ou angoissé, Corrie supposa que les petites brutes le laissaient maintenant tranquille. Son frère avait lu un nouveau livre sur la fauconnerie, et toute la Table ronde se consacrait à la fabrication de petits chaperons, de gantelets et de créances. Chacun possédait un oiseau de proie imaginaire ; Corrie appela le sien Mercury. Meredith et elle décidèrent elles aussi de s'inventer des rapaces. En classe, elles levaient le bras de temps à autre comme si elles portaient précautionneusement un faucon, avant d'échanger des sourires complices.

Le matin où le journal annonça l'envoi dans l'espace d'une chienne appelée Laïka à bord d'un satellite russe, Meredith fondit en larmes, sans que Corrie puisse la consoler. Lorsque M. Zelmach l'interrogea sur son état, Meredith raconta l'épisode à la classe :

– Elle va mourir là-dedans ! Ils le savent très bien, mais ils l'envoient quand même là-haut ! C'est vraiment trop cruel !

M. Zelmach leur demanda s'ils trouvaient normal de sacrifier un animal au nom de la science. La question donna lieu à un échange si passionné qu'il se prolongea jusqu'à la récréation.

Aucun professeur ne les avait jamais laissés manquer deux cours entiers uniquement pour discuter. À la suite de cet épisode, la classe traita Meredith de façon plus respectueuse.

Meredith s'était à présent complètement entichée des Bell :
– Ta famille est beaucoup plus intéressante que la mienne, répétait-elle sans cesse. Vous êtes très différents des autres, comme les personnages d'un livre !

Dès qu'elle arrivait à la maison avec Corrie, elle se conduisait comme une autre sœur. Elle demandait souvent à rester dîner, mais Corrie l'en dissuadait chaque fois ; elle souhaitait tenir Meredith à distance de Sébastien.

Meredith adorait brosser Othello ou persuader les jumeaux de se laver les mains. Juliette et Orly adoraient l'amie de Corrie. Si c'était au tour de Corrie de les raccompagner à la maison, elle les emmenait parfois chez Meredith.

Mme Cooper était elle aussi enchantée d'accueillir les jumeaux. Elle leur préparait des en-cas ressemblant au personnage de Raggedy Ann[1] : une demi-pêche, un visage en fromage blanc, des carottes râpées à la place des cheveux, des raisins pour les yeux, et des bâtonnets de carotte pour les bras et les jambes. Elle rit lorsque Juliette se mit à l'appeler Mme Coucou. Corrie était stupéfaite de constater à quel point les jumeaux se conduisaient bien chez Meredith. Ils s'asseyaient sagement dans la salle de jeux, regardaient la télévision en savourant leurs goûters. Au moment de partir, ils rapportaient leurs assiettes à la cuisine et disaient merci.

---

1. Petite poupée de chiffon aux cheveux roux, héroïne d'une série de livres pour enfants.

Un après-midi, alors que Corrie et Meredith rentraient chez les Bell, Juliette sautillait à leurs côtés tandis qu'Orly courait devant.

– Brenda m'a invitée à son anniversaire ! s'exclama-t-elle. Et Lynn aussi ! Je peux leur offrir des cadeaux, Corrie ?

– Demande de l'argent à Sébastien, lui répondit sa sœur.

Juliette était devenue très populaire. Orly s'était fait un ami dans sa classe – Ian, le seul petit garçon qui ne le fuyait pas. Mais la ténacité et l'assurance de Juliette en avaient fait la meneuse des fillettes de sa classe. À chaque récréation, Corrie l'entendait crier des ordres lorsqu'elle organisait leurs jeux de ballon ou de corde à sauter.

– Pourquoi moi je ne peux pas fêter mon anniversaire ? demanda Juliette.

– Fêter ton anniversaire ! répéta Corrie décontenancée. Je ne sais pas, Juliette. Il faudra que tu demandes à Sébastien.

Juliette fit la course avec Orly jusqu'au coin de la rue.

– Quand tombe leur anniversaire ? s'enquit Meredith.

– Le 23 novembre. Mais nous n'avons jamais fêté nos anniversaires. Pour aucun d'entre nous.

Meredith s'arrêta et la regarda :

– Aucun de vous n'a jamais fêté son anniversaire ? Pourquoi ?

– Eh bien, nous les fêtons en famille, expliqua Corrie. Pas avec des amis comme... comme tout le monde, poursuivit-elle sans conviction.

Au fil des années, elle avait assisté à de nombreux goûters d'anniversaire. Pas à tous, bien sûr, mais chaque fois qu'une mère tenait à inviter toute la classe.

– Pourquoi ? insista Meredith.

– Ma... ma mère était toujours trop occupée.

Meredith parut nerveuse :

– Maman m'a dit de ne jamais jamais te parler de ta mère. Mais est-ce que je peux te demander pourquoi elle était trop occupée ?

– Ça ne me gêne pas de parler de ma mère, répondit-elle en souriant.

À sa stupéfaction, elle en avait même envie. Les mots sortaient à toute vitesse de sa bouche, comme une rivière en crue.

– Maman était une artiste, dit-elle à Meredith. Une baby-sitter venait s'occuper des jumeaux tous les après-midi et, pendant ce temps-là, elle peignait dans son atelier. Après l'école, nous montions en courant voir ce qu'elle avait fait. Ensuite, elle s'arrêtait pour la journée, puis elle nous emmenait faire des courses ou préparait le dîner ou...

Corrie avait les yeux qui lui piquaient.

– Ou faire les mêmes choses que ma maman, souffla doucement Meredith.

– Oui, poursuivit Corrie en clignant des yeux. Elle était vraiment très occupée. Et puis elle trouvait idiotes les fêtes d'anniversaire.

Corrie entendait encore la voix chantante de sa mère tenir ces propos quand Rose avait réclamé un goûter d'anniversaire :

– Rose, ma chérie, un goûter d'anniversaire, ce n'est rien d'autre qu'un cirque où une bande d'enfants font les fous et se rendent malades. Nous vous emmènerons dîner au restaurant plutôt, d'accord ?

Corrie avait adoré choisir avec soin sa tenue et sortir le soir en compagnie de sa famille dans un restaurant chic. En grandissant, Rose accepta de moins en moins bien le fait de ne pas fêter normalement son anniversaire. Après la mort de Maman, elle avait organisé sa propre fête, avec l'aide de tante Madge. Elle n'avait rien fait depuis le départ de celle-ci ; il y avait trop de désordre dans la maison, et les gouvernantes n'appréciaient jamais cette idée.

– Je fête toujours mon anniversaire en septembre, parce que l'été les gens partent en vacances, dit Meredith. Je ne l'ai pas fait cette année, je ne connaissais encore personne. Mais je le fêterai l'année prochaine – tu seras invitée, bien entendu. Je sais : on peut peut-être faire un seul anniversaire pour toutes les deux !

– Ce serait sympa, répondit Corrie avec un sourire.

– Organisons *nous-mêmes* une fête pour les jumeaux ! lança Meredith. Nous pourrons jouer avec des ballons, à la queue de l'âne[1] et faire une chasse au trésor. Maman pourrait nous préparer un gâteau. On pourrait le prévoir chez nous si tu veux, ajouta-t-elle en jetant un regard à Corrie.

– Mais...

Avant que Corrie puisse protester, Meredith avait rappelé Juliette pour lui demander si elle voulait une fête d'anniversaire.

Juliette applaudit :

– Oui ! Mais juste pour moi, pas pour Orly. Lui, il s'en moque et je ne veux que des filles.

Meredith et Juliette commencèrent à discuter de l'organisation. Elles poursuivirent jusque dans la chambre de Corrie,

---

1. Jeu pour les petits consistant à accrocher la queue d'un âne en carton au bon endroit, un bandeau sur les yeux.

dressant la liste des invitées, des recettes et des jeux. Corrie finit par les laisser et alla s'enfermer dans le placard secret avec un livre.

Meredith la trouva à cet endroit :

– Qu'est-ce qu'il y a, Corrie ? Tu ne veux pas nous aider à préparer la fête ?

– Si... si.

Corrie savait qu'elle n'en avait pas envie. Était-ce parce que Meredith y avait pensé, et pas elle ? Ou parce que Maman n'aimait pas les fêtes d'anniversaire ? C'était peut-être simplement le changement. Il y en avait déjà eu assez cet automne.

– Nous parlerons de l'anniversaire plus tard, dit-elle à Meredith. Il fait trop beau. Tu ne veux pas aller faire du patin à roulettes ?

Meredith emprunta les patins de Rose et elles descendirent.

– Si ta mère était artiste, où sont ses tableaux ? interrogea Meredith.

– Certains se trouvent au salon mais la plupart sont toujours dans son atelier, répondit Corrie.

L'insatiable curiosité de Meredith commençait à la lasser.

– Je peux les voir, moi ?

– On n'a pas le droit d'aller dans son atelier. Et je t'ai déjà montré le salon, le jour où tu es venue pour la première fois, s'évertua Corrie.

Mais Meredith insista, affirmant qu'elle n'avait pas regardé attentivement cette fois-là.

Corrie la conduisit de nouveau dans la pièce plongée dans l'obscurité.

– On ne peut pas ouvrir les rideaux ? demanda Meredith.

Sans attendre la réponse, elle tira les lourds rideaux de velours qui dissimulaient chacune des fenêtres. La pièce parut pousser un soupir de soulagement au moment où la lumière y pénétra. Corrie eut un haut-le-cœur en apercevant les objets familiers.

Les tableaux aux couleurs vives de Maman s'alignaient sur les murs. Meredith admira les puissantes taches de couleur organisées selon des motifs précis.

– Qu'est-ce qu'ils sont supposés représenter ? demanda-t-elle.

– Ça s'appelle des œuvres abstraites, répondit Corrie. Maman disait qu'il s'agissait plus de ressentis que de représentations.

Elle regardait fixement son préféré : des bandes bleues masquant de vagues formes grises, celui qu'elle appelait *Chevaux sous la pluie*. Corrie se rappela Maman qui riait en disant : « C'est un titre parfait pour ce tableau ! »

Elle entendait si bien la voix de Maman aujourd'hui ! C'était presque comme si elle était dans la pièce !

Meredith remarqua une grande photo posée sur la cheminée.

– C'est ta mère ? demanda-t-elle en s'approchant. Elle est très belle ! Et regarde, toi, tu es là !

Debout à côté d'elle, Corrie fixait la photo. Elle avait été prise avant la naissance des jumeaux. Ils étaient tous assis sur le canapé, ses parents au centre. Harry était un bambin potelé dans les bras de Maman. Corrie, âgée de quatre ans, se blottissait dans ceux de Père. Sébastien était assis à côté d'eux, un bras posé sur les genoux de son père, souriant tendrement à l'appareil. Rose, dans une robe à smocks, ses cheveux blonds nattés, tenait la main d'Harry. Elle affichait une expression grave pour une petite fille de six ans.

La belle chevelure brune de Maman ondulait sur ses épaules. Elle avait un grand sourire généreux et semblait comblée, entourée des siens.

– Sébastien et toi, vous vous ressemblez beaucoup ! Et là, c'est vraiment ton père ? demanda Meredith.

– Il avait beaucoup plus de cheveux à l'époque, répondit Corrie en souriant.

Elle étudia le visage taillé à la serpe de leur père, tellement plus présent et joyeux qu'aujourd'hui. Elle pouvait presque se rappeler la sensation que lui procuraient ces bras protecteurs.

Elles remirent les rideaux en place et sortirent. Corrie ôta la clé qu'elle gardait accrochée autour du cou et toutes deux fixèrent leurs patins à leurs chaussures. Elles patinèrent dans l'allée et Corrie ouvrit la marche jusqu'au chemin en pente devant la maison des Wedd, le meilleur endroit où patiner dans le quartier. Elles descendirent chacune plusieurs fois en roue libre. Puis elles firent un tour complet du pâté de maisons.

Corrie soulevait à tour de rôle chacun de ses pieds alourdis, laissant la constance du rythme et le grincement des roues contre le trottoir apaiser son malaise. Peut-être Meredith oublierait-elle l'anniversaire.

Ce soir-là, après le dîner, Corrie s'assit à la table de la salle à manger, pour travailler à un autre diorama. Celui-là représentait un paysage enneigé. Elle avait peint en bleu le fond d'une boîte à chaussures et y avait collé des formes blanches figurant les icebergs. Le bas de la boîte était bordé de lambeaux de coton. Elle tentait maintenant de fabriquer un igloo à partir de morceaux de sucre, qu'elle collait après en avoir arrondi les angles à l'aide d'une lime à ongles.

C'est Maman qui avait appris à Corrie comment fabriquer des dioramas. Corrie entendait encore sa voix encourageante quand elle lui montrait comment travailler en partant du fond pour aller vers l'avant. La première scène représentée par Corrie était tirée de *Hansel et Gretel*. Maman et elle avaient passé un moment merveilleux à coller de véritables bonbons sur la petite maison en carton.

Encore Maman ! Pourquoi pensait-elle autant à elle ?

Corrie déposa avec précaution l'igloo terminé sur la « neige ». Tout semblait parfait ! Elle observa avec satisfaction ce petit univers rassurant et confiné.

Rose entra dans la cuisine, un verre de jus de fruits à la main. Elle se glissa sur la chaise à côté de Corrie.

– C'est superbe ! C'est ton plus réussi !

– Merci, répondit Corrie. Je vais peut-être ajouter des chiens de traîneau ou des phoques.

– Pourquoi pas aussi quelques Esquimaux ?

– Parce que je ne sais pas dessiner les gens, tu le sais bien ! Je vais donc juste imaginer qu'ils sont à l'intérieur de l'igloo.

Rose se mit à rire. Puis elle dit doucement :

– Corrie ? Tu sais quel jour on est ?

Corrie essayait de positionner l'igloo à un endroit différent. Elle secoua la tête.

– C'est le troisième anniversaire de la mort de Maman.

– Oh ! (Corrie se retourna sur sa chaise et regarda sa sœur.) Comment tu le sais ?

– Parce que je l'écris tous les ans sur mon cahier de texte. Mais tu sais quoi ? (Son ton était furieux à présent.) Personne, pas même Père, ne s'en est souvenu ! Ou s'ils s'en souviennent, personne n'a rien dit.

– Je crois que, d'une certaine manière, je m'en souvenais, dit posément Corrie. En moi-même, je pense. Toute la journée, j'ai songé à Maman et j'ai entendu sa voix.

– Oh, Corrie, comme je suis contente ! Les autres semblent avoir tout oublié d'elle ! C'est ce qui va m'arriver aussi, si nous ne parlons pas de Maman, mais ce n'est jamais le cas !

– On ne peut pas, déclara Corrie. Cela rendrait Père trop triste. Sébastien aussi.

– Tante Madge parlait parfois d'elle, dit Rose. J'aurais tant aimé qu'elle ne s'en aille pas.

– Moi aussi.

Elles restèrent assises en silence.

– Rose, tu peux me parler de Maman, si tu veux, finit par dire Corrie. J'aimerais bien.

– Merci, Corrie, répondit Rose en souriant. Mais je préférerais que nous en parlions *tous*. Alors nous nous en souviendrions mieux. C'est presque comme si Père et Sébastien avaient honte de Maman ! Pourquoi est-ce un tel secret ?

– Je ne sais pas. Alors, tu veux parler d'elle ? demanda Corrie, levant des yeux pleins d'espoir.

– Pas maintenant. J'ai trop de devoirs.

Rose quitta la pièce et Corrie retourna à son diorama. Mais la scène sur la glace lui donnait si froid qu'elle la rangea et alla se coucher.

114

Dès le lendemain, tout était arrangé : Meredith déclara que sa mère serait ravie d'organiser l'anniversaire de Juliette chez elle.

– Tu es sûre ? lui demanda Corrie.

– J'en suis sûre ! Maman adore préparer les fêtes et elle n'a pas pu s'occuper de la mienne cette année. Allez, dis oui, s'il te plaît, Corrie.

Corrie repensa à l'enthousiasme de Juliette au moment où Meredith avait proposé d'organiser son anniversaire.

– D'accord... répondit-elle. Ça ne me paraît pas normal que ce soit chez toi – c'est ma sœur, quand même. Mais si ça ne dérange pas ta mère, je suppose qu'on pourrait faire comme ça.

Corrie regretta immédiatement sa décision. Durant les deux semaines qui suivirent, Meredith et Juliette ne parlèrent que de la fête. C'est comme si Meredith était plus l'amie de Juliette que la sienne. Juliette coloria seize invitations et les distribua à toutes les filles de sa classe. Mme Cooper trouva une robe jaune à volants, trop petite pour Meredith, qui allait parfaitement à Juliette et était en meilleur état que les vieilles robes de Corrie. Il y avait même une crinoline. Juliette l'adorait.

Mme Cooper prépara un gâteau représentant les personnages Dick et Jane[1] et décora la maison de ballons roses. Elle acheta des chapeaux roses, et Juliette passa des heures avec Meredith à choisir des rubans et à remplir de bonbons des petits paniers en plastique.

Bien entendu, Juliette ne pouvait s'empêcher de parler de la fête à la maison, même si Corrie l'avait suppliée de s'abstenir.

------

1. Personnages d'une série pour enfants.

Rose se déclara contente pour sa sœur, mais Sébastien était contrarié.

– Ce n'est pas possible, dit-il à Corrie. Pourquoi la famille de Meredith organiserait-elle l'anniversaire de Juliette ? Nous lui préparons toujours un dîner spécial – ça ne suffit pas ? Tu ne peux pas arrêter tout ça ?

– C'est trop tard, répondit Corrie.

Ils ne pouvaient bien entendu plus revenir en arrière, maintenant que Juliette était si excitée.

Dans l'embrasure de la porte de la cuisine, Corrie observait Mme Cooper découper le gâteau. Les dix-sept fillettes admirèrent les petits personnages en sucre qui représentaient Dick, Jane, le bébé Sally, Spot le chien et Puff le chat. Elles attendaient, impatientes, chacune espérant découvrir dans sa part une pièce de cinq *cents* emballée dans du papier de cire. Filtrant par la fenêtre, le soleil illuminait la table ; c'était comme si Corrie avait immortalisé la scène en photo. Les boucles propres et brillantes de Juliette encadraient son visage vif et fébrile. Dans quelques minutes, Corrie le savait, sa petite sœur pousserait des cris dans le salon en essayant de commander tout le monde, le visage et la robe maculés de chocolat et le nœud de sa ceinture défait. Mais, pour l'instant, elle paraissait angélique, comme toutes ses petites amies. C'était exactement comme un dessin agrémentant les récits de Dick et Jane – de belles couleurs et des visages réjouis au teint frais, tout ça était trop beau pour être vrai.

À l'école primaire, Corrie avait trouvé Dick et Jane si ennuyeux que, assise à son pupitre, elle leur avait inventé des aventures plus palpitantes.

Qu'étaient Dick et Jane comparés aux chevaliers de la Table ronde ? Corrie rejeta la tête en arrière d'un air dédaigneux. Que faisait-elle, elle, messire Gareth, dans cette scène insipide ? Le chaos habituel des anniversaires en famille lui manquait. Elle avait hâte de ramener Juliette à la maison pour assister à la véritable fête qui l'attendait.

8

Tante Madge

À la fin du mois de novembre, Père leur annonça une nouvelle :

– J'ai reçu une lettre de ma sœur. Elle aimerait nous rendre visite à Noël. Qu'en dites-vous, mes enfants, souhaitez-vous l'inviter ?

Tante Madge !

Le cœur de Corrie fit un bond dans sa poitrine. Tante Madge leur téléphonait pour leurs anniversaires et à l'occasion des fêtes ; elle leur envoyait une lettre de temps en temps, mais cela faisait deux ans qu'ils ne l'avaient vue.

– Tante Madge ? demanda Orly comme s'il n'était plus certain de savoir de qui il s'agissait.

Mais Juliette poussa un cri :

– Oh oui, s'il vous plaît !

Corrie était étonnée que sa petite sœur se souvienne de leur tante. Rose avait l'air enchantée et Harry affichait un simple sourire, comme à son habitude. Sébastien, en revanche, fixait son assiette en fronçant les sourcils.

– Je ne crois pas que ce soit une bonne idée, marmonna-t-il.

– Ah bon ? fit Père. Je dois dire que Madge me manque. Je regrette qu'elle ait dû nous quitter pour s'occuper de Daphné, qui, je suppose, a plus besoin d'elle que nous.

Tous se sentirent coupables, hormis Harry et les jumeaux – ils n'avaient jamais su tout à fait ce qui avait poussé tante Madge à partir.

– Oh, allez, s'il vous plaît, invitez-la, Père ! supplia Juliette. J'aime bien tante Madge ! Elle nous préparait des cookies !

Rose lança un regard furieux à Sébastien.

– N'écoutez pas Sébastien, dit-elle à son père. Nous adorerions revoir tante Madge.

– Pourquoi ne souhaites-tu pas sa venue, mon garçon ? demanda Père.

Corrie savait que son frère n'avouerait jamais la vérité. Il haussa les épaules, toujours sans lever les yeux.

– C'est bon... Elle peut venir. Oubliez ce que j'ai dit.

Père semblait perplexe, mais il fut distrait par les autres qui lui demandaient quand leur tante serait parmi eux.

– Elle souhaite arriver le 20 décembre et passer deux semaines avec nous, les informa-t-il.

– Deux semaines ! C'est trop court ! s'exclama Rose.

Sébastien parut abattu. Corrie savait qu'il jugeait ce séjour beaucoup trop long.

– Nous devons nettoyer cette maison crasseuse, leur annonça Rose le lendemain matin. Tante Madge n'était pas une excellente ménagère, mais elle serait choquée de l'état des lieux.

Elle ramassa un mouton de poussière à ses pieds. Il y en avait chaque jour de plus en plus.

– Commençons par sa chambre ! proposa Corrie.

Il leur fallut deux semaines pour nettoyer la maison. Tous les jours après l'école, ils dépoussiéraient, balayaient, aspiraient et frottaient pendant que l'Éléphant demeurait assise dans la cuisine, devant son puzzle ou ses magazines. Sébastien annula même les rendez-vous de la Table ronde pour qu'ils puissent également consacrer tout leur samedi au ménage. Ils jetèrent quantité d'ordures et astiquèrent même l'argenterie. Meredith les aidait avec enthousiasme.

Contre toute attente, sa présence ne dérangeait pas Sébastien. De tous, c'est lui qui nettoyait le plus soigneusement :

– Je ne veux pas que tante Madge se plaigne à Père du travail de l'Éléphant, expliqua-t-il à Corrie.

– Mais elle travaille vraiment mal ! répondit celle-ci. Oh, Sébastien, ne pourrait-on pas demander à tante Madge de revenir pour de bon ?

– Non ! De toute façon, elle ne peut pas. Elle doit s'occuper de sa cousine Daphné.

Corrie hocha tristement la tête. Elle tenta de se réjouir à l'idée que tante Madge passerait deux semaines complètes avec eux, et d'oublier qu'elle devrait ensuite repartir.

Presque tous les jours de décembre, ils jouirent d'un temps clair mais glacial. Corrie se sentait de plus en plus dans l'atmosphère de Noël. En classe, M. Zelmach leur apprenait des chansons de Noël qu'elle n'avait jamais entendues : *Venez bergers et bergères* et *Au beau milieu de l'hiver*. Le dernier jour d'école, ils iraient chanter dans les autres classes. Meredith et elle prétendirent qu'elles chanteraient dans un château voisin.

Un soir, Sébastien leur fit écrire à tous une lettre au Père Noël. Corrie savait qu'il les transmettait ensuite à Père.

– Des patins à roulettes, deux tortues et un chien, fit Juliette en recopiant avec soin les mots qu'elle avait demandé à Sébastien de lui écrire en lettres capitales.

– Le Père Noël ne t'apportera pas de chien, l'avertit Sébastien. Il sait que Père n'aime pas ça.

Leur père leur avait raconté qu'enfant, il avait été méchamment mordu par un chien.

– Je sais que Père en a peur, mais peut-être qu'un petit chien ça irait, répondit Juliette. Comment on écrit « petit » ?

Elle ajouta le mot devant « chien ».

Corrie réfléchissait à sa propre liste. Elle ne voyait rien d'autre que des livres. Puis elle se souvint d'un cadeau dont elle avait envie depuis toujours et ajouta une échasse à ressort à sa liste. Père – le Père Noël, se dit-elle en souriant – aurait peut-être du mal à en trouver, mais pourquoi ne pas essayer ?

Quelques jours après la fin du grand ménage dans la maison, Père confia à Sébastien leur argent de poche pour Noël, comme à l'accoutumée. L'aîné des Bell le répartit soigneusement entre tous les enfants. Rose emmena Juliette et Orly chez Woolworth's où ils choisirent de petits cadeaux pour tout le monde, laissant leur sœur attendre devant le magasin pour qu'elle ne voie pas le sien.

Un samedi, Corrie et Harry allèrent à vélo jusqu'aux boutiques du quartier de Kerrisdale pour leurs propres achats. Ils se séparèrent après être convenus de se retrouver une heure plus tard.

Corrie se procura la plupart de ses cadeaux à la papeterie. Elle choisit une agrafeuse pour Père, des crayons de couleur pour les jumeaux, de la colle pour Harry (toujours à court), une gomme en forme de papillon et une famille de chiens miniatures en porcelaine pour Meredith. Dans un magasin de vêtements juste à côté, elle trouva un mouchoir en dentelle, brodé d'un M, pour tante Madge.

Il ne manquait plus que Sébastien. Son cadeau était le plus difficile car Corrie le voulait parfait. Elle finit par découvrir un petit canif à la quincaillerie. Il coûtait plus cher que ce qu'il lui restait de l'argent de Père, mais elle ajouta les économies faites sur son argent de poche. Sébastien serait ravi !

Elle attendit Harry devant la pharmacie comme prévu. Les passants marchaient d'un air affairé, absorbés par leurs préparatifs de Noël. Au coin de la rue, une fanfare de l'Armée du Salut jouait *Le Premier Noël*. Corrie avait les joues toutes rouges dans le froid glacial. Cette semaine précédant Noël était sa préférée, elle réservait tant d'agréables surprises. Et tante Madge serait de nouveau là ! Corrie imaginait avoir enfin une vie normale.

Bien entendu, rien n'était plus « normal » depuis trois ans, depuis que Maman n'était plus là. Mais au moins la vie pourrait-elle être aussi « normale » que possible.

Le premier semestre de l'école se termina sur une note originale. En novembre, tous les élèves de la classe de 6e année A avaient tiré au sort le nom d'un de leurs camarades. Ils passèrent le dernier après-midi avant les vacances à se régaler d'orangeade et de cookies tout en échangeant leurs cadeaux. Corrie se vit offrir une barrette rose par Jamie. Elle ne portait pas de barrette, n'aimait pas le rose et Jamie l'agaçait ; il l'appelait parfois « taches de rousseur ». Mais elle était si enthousiaste à l'approche de Noël qu'elle le remercia poliment et rangea la barrette dans sa poche. Elle plairait peut-être à Juliette ou à Rose.

Corrie ayant tiré au sort le nom de Deirdre, elle lui avait offert trois crayons sur lesquels son prénom était gravé. Deirdre, qui n'avait jamais prêté attention à Corrie, lui sourit chaleureusement. Sharon remercia avec empressement Meredith pour son paquet de réglisses rouges. Brent tira sur l'une des tresses de Carolyn, qui ne protesta même pas. Kathy, Valérie et Louise se mirent à chanter : « Nous sommes trois rois d'Orient / Qui essayons de fumer un faux cigare ! / Il était chargé, il a explosé. Boum[1] ! », et tout le monde de reprendre en chœur. Puis Gary et Frank, sans cesse conduits dans le bureau du directeur pour cause de bagarres, distribuèrent des cannes en sucre bras dessus bras dessous en poussant des « Ho ho ho ! ». M. Zelmach fit crier à toute la classe « Joyeux Noël ! » avant qu'ils n'abandonnent leurs chaises et se précipitent vers les vacances.

La famille de Meredith retournait à Calgary où elle resterait jusqu'à la fin des vacances.

– Je suis tellement contente de revoir Sue et Ruthie ! confia-t-elle à Corrie. J'espère que nous serons encore amies.

Corrie essayait de réprimer sa jalousie. Elle fut rassurée lorsque Meredith lui offrit un livre de dédicaces aux pages multicolores. Sur la première page bleue, Meredith avait écrit : « Puissé-je toujours être un maillon de la longue chaîne de l'amitié. » Elle semblait adorer ses chiens en porcelaine.

---

1. Parodie enfantine d'un chant de Noël.

Corrie fut enchantée lorsque Père la désigna pour l'accompagner dans le taxi qui irait chercher tante Madge. Pendant tout le trajet, elle essaya de trouver un sujet de conversation intéressant. Finalement, elle se contenta de s'appuyer contre lui. Père passa un bras autour d'elle. Corrie colla sa joue contre son manteau en tweed qui la piquait, osant à peine respirer de peur que son père ne bouge.

La gare grouillait de vacanciers. Corrie et Père scrutaient la foule. *Vais-je la reconnaître ?* se demanda Corrie. Elle aperçut enfin une minuscule silhouette chargée de bagages.

– Tante Madge !

Corrie se précipita vers sa tante et plongea son visage dans sa douce veste de fourrure.

– Corrie ! Bonté divine, comme tu as grandi ! Et William, mon cher, comment vas-tu ?

Père embrassa sa sœur sur la joue et lui prit ses plus lourdes valises. Corrie se débattit avec deux autres paquets. Sur le chemin du retour, elle était serrée entre les deux adultes.

Père interrogea poliment tante Madge sur le temps à Winnipeg et sur Daphné, la vieille cousine avec qui elle vivait et dont elle s'occupait.

– Elle va mieux, même si elle a toujours le cœur fragile, répondit tante Madge. Son amie Dorothy habitera avec elle pendant mon absence.

Père et tante Madge avaient toujours entretenu des relations assez guindées pour un frère et une sœur. Corrie se demandait s'ils se comportaient ainsi enfants – les seuls de la fratrie ; étaient-ils plus proches alors ?

Tante Madge les interrogea sur tous les membres de la famille. Comme au téléphone, Corrie lui offrit une version corrigée de la réalité. En laissant de côté les brutalités que subissait Sébastien, le conflit de ce dernier avec Rose, l'attitude désinvolte de l'Éléphant et ses propres préoccupations, leur famille semblait aussi lisse et heureuse que les jumeaux Bobbsey ou Dick et Jane.

– ... et Harry a obtenu le premier prix au salon de la science, termina-t-elle.

– C'est vrai ? demanda Père, surpris. Mais pourquoi personne ne m'a rien dit ?

– Nous vous l'avons dit, affirma Corrie.

– Mon cher William, toujours aussi distrait, dit tendrement tante Madge en lui tapotant le bras. Je suis si heureuse de vous revoir tous !

Ils avaient ouvert les rideaux du salon. Ils étaient à présent tous assis dans la pièce, excepté Sébastien. Juché sur un tabouret, Orly observait tante Madge avec méfiance. Juliette se blottit contre elle en se frottant les yeux. La fillette ne pleurait presque jamais, mais en voyant tante Madge, elle avait éclaté en sanglots.

Corrie étudiait sa tante avec grand intérêt. Elle n'avait pas changé le moins du monde. Tante Madge portait des lunettes rondes qui lui donnaient l'air d'un hibou et ne cessait de replacer ses cheveux bruns, fins et clairsemés, qui s'échappaient de son chignon. Elle clignait souvent des yeux. Elle portait le même tailleur en tweed bleu tout usé que deux années plus tôt, orné au revers d'une broche en or qui représentait un cheval et avait appartenu à sa mère.

– Cette maison est d'une propreté impeccable ! s'extasia tante Madge.

126

L'encaustique avait rendu le salon rutilant ; du houx décorait le dessus de cheminée, et leurs bas de Noël étaient soigneusement posés sur le pare-feu, prêts à être accrochés. La pièce autrefois délaissée semblait étinceler de reconnaissance.

– Vous devez avoir une gouvernante bien meilleure que celle que j'étais, observa tante Madge de sa voix chevrotante.

Tout à fait remise, Juliette se redressa :

– L'Éléphant ? Elle ne fait rien du tout !

Corrie essaya de la faire taire mais Juliette poursuivit avec mépris :

– Nous avons nettoyé la maison tout seuls ! Bon, en fait, Meredith, l'amie de Corrie, nous a aidés. Orly et moi, nous avons dépoussiéré tous les barreaux de la rampe d'escalier. Ça nous a pris des heures !

Heureusement, Père ne parut pas l'entendre. Sébastien l'avait emmené examiner l'un des tableaux de Maman dans un coin de la pièce. Corrie savait qu'il évitait d'avoir à parler à tante Madge.

– Souvenez-vous tous, vous ne devez pas dire à quel point l'Éléphant est catastrophique, leur avait rappelé Sébastien au moment du petit déjeuner. Il ne faut pas que tante Madge se doute de quelque chose.

– Pourquoi pas ? avait interrogé Rose. Mme Oliphant serait peut-être renvoyée !

Sébastien lui avait lancé un regard courroucé.

– Je n'arrête pas de vous le répéter, messire Gauvain, avait-il répondu. Si l'Éléphant s'en va, nous risquons d'avoir quelqu'un qui se mêle trop de nos affaires. Soyez gentil de vous en souvenir.

Corrie réagit vite :

– Nous avons laissé Mme Oliphant partir en vacances assez tôt – c'est pour cette raison que nous avons tous fait le ménage, expliqua-t-elle à leur tante. D'habitude, elle s'occupe de la maison, bien entendu. Et elle prépare notre dîner tous les soirs.

Rose semblait vouloir dire la vérité à tante Madge, mais Corrie savait qu'elle respecterait les instructions de Sébastien.

– Mme Oliphant est une très mauvaise cuisinière, par contre, déclara Harry. Tu pourras nous préparer des macaronis au fromage, tante Madge, comme avant ?

– Et de la crème à la vanille ! ajouta Rose.

– Et des cookies aux flocons d'avoine ! se souvint Corrie.

– Du calme ! répondit tante Madge en riant. Bien sûr. Je vous ferai tous vos plats préférés.

Elle semblait ravie qu'ils n'apprécient pas la cuisine de Mme Oliphant.

Tante Madge reprit sa place au sein de la famille comme si elle n'était jamais partie. Orly décida qu'il l'aimait bien et la suivit partout comme un petit chien. Elle admira avec beaucoup de patience toutes les collections d'Harry et aida Rose à coudre un ourlet à sa nouvelle robe. Elle parvint même à faire un véritable shampoing à Juliette.

Tante Madge prit intégralement possession de la cuisine et, tous les soirs, ils se régalaient de rôtis et de desserts. Corrie et Harry l'aidèrent à découper des sablés et des bonshommes en pain d'épice. Elle avait apporté un cake et du pudding de Noël dans ses bagages.

Un soir, ils se rendirent tous ensemble sur le parking de l'église, où les scouts vendaient des arbres de Noël. À tour de rôle, ils traînèrent le sapin jusqu'à la maison. L'arbre trônait dans le salon, les branches chargées de guirlandes de canne-berges, de bougies et de décorations fabriquées à l'école, chaque année plus nombreuses. Un ange aux ailes duveteuses vacillait au sommet. Au lieu de relents de moisissure et d'absence d'entretien, la maison dégageait à présent de bonnes odeurs de cuisine et d'épines de sapin.

Tous les soirs avant d'aller se coucher, Corrie se glissait dans la pièce plongée dans l'obscurité pour allumer les lumières du sapin. Elle s'allongeait sur le sol et observait la douceur des couleurs, retenant en elle la magie de Noël comme une fragile décoration de verre susceptible de se briser à tout moment.

Les paquets s'amoncelaient sous les branches, et les jumeaux passaient des heures à les secouer et à les étudier un à un. La veille de Noël, tante Madge prépara une « tourtière », le plat traditionnel des fêtes de fin d'année. Ils passèrent ensuite tous au salon, où Père leur lut à haute voix le dernier couplet d'*Un Chant de Noël*[1], comme chaque année. Au moment où Tiny Tim dit : « Que Dieu bénisse chacun de nous ! », les yeux d'Orly se fermaient.

– Au lit, vous deux ! annonça tante Madge aux jumeaux. Toi aussi, Harry.

– Harry a le droit de veiller jusqu'à vingt heures trente maintenant, dit fermement Sébastien.

– Mais...

Sébastien fronça les sourcils et tante Madge s'interrompit. En rougissant, elle aida Juliette et Orly à accrocher leurs bas aux crochets placés sous la cheminée. Rose apporta le lait et les gâteaux destinés au Père Noël.

---

1. Conte de Charles Dickens.

– Tu crois que le Père Noël va penser à mes revolvers Buffalo Bill ? demanda Orly d'une voix endormie au moment où tante Madge emmenait les jumeaux.

– Tu verras bien ! lui répondit-elle en s'arrêtant à la porte. Bonne nuit à tous. Je crois que je vais moi aussi me coucher.

Elle envoya un baiser dans leur direction en évitant le regard de Sébastien.

Père partit également, après les avoir tous embrassés.

– Essaie de contenir les fauves jusqu'à huit heures demain matin, implora-t-il Sébastien.

Corrie éteignit les lumières du salon. Sébastien, Rose, Harry et elle se prélassaient devant l'arbre de Noël, décortiquant des noix en attrapant la chair avec des piques. Othello se chauffait le ventre devant le feu, qui crépitait et grésillait, et la pièce ressemblait à une grotte où dansaient des flammes.

– Sébastien, articula lentement Harry, est-ce que le Père Noël existe vraiment ? J'ai demandé à tante Madge et elle m'a répondu que oui. Mais c'est Père qui remplit nos bas et nous apporte nos cadeaux, pas vrai ?

Il regardait son frère d'un air hésitant.

– Tante Madge croit que tu es encore un petit garçon, lui répondit Sébastien avec un sourire. Elle ne sait pas que tu es écuyer ! Les écuyers sont assez grands pour savoir la vérité à propos du Père Noël. Il n'existe pas, maître Harry. On l'invente pour les enfants.

– C'est bien ce que je me disais, fit Harry, soulagé. Comment une seule personne pourrait-elle parcourir le monde entier en une seule nuit ? Et les rennes ne peuvent pas voler, de toute façon !

Rose parut contrariée :

– En tout cas, ne le dis pas aux jumeaux. C'est bien de croire au Père Noël, à leur âge.

Corrie se remémora avec nostalgie l'époque où elle-même y croyait, où elle regardait par la fenêtre la veille de Noël en guettant le tintement des clochettes et le martèlement des sabots sur le toit.

– Alors, le Père Noël est une histoire comme celle de la Table ronde. Pour de faux, je veux dire, se résigna Harry.

– Enfin, pas exactement, déclara Sébastien en fronçant les sourcils. Le Père Noël est un mythe. La Table ronde est beaucoup plus vraie.

– Ne sois pas ridicule, Sébastien, lui rétorqua Rose. La Table ronde est autant un mythe que le Père Noël ! Nous *faisons semblant* d'être des chevaliers – nous ne sommes pas vraiment des chevaliers.

Corrie fut stupéfaite de voir des larmes perler dans les yeux de Sébastien.

– Je n'aime pas vous entendre parler ainsi, messire Gauvain, murmura-t-il.

Il se redressa et regarda les cadeaux.

Rose semblait prête à répliquer, mais Corrie la saisit par le bras.

– C'est Noël, souffla-t-elle. Laisse tomber !

– D'accord. Je suis désolée, Sébastien. Accrochons nos bas et allons nous coucher, d'accord ?

Le bas de Corrie était à rayures vertes, rouges et blanches ; son nom était brodé sur le revers. Elle se demanda qui le lui avait tricoté et se dit que c'était sans doute Maman.

Dans son sommeil, Corrie éprouva la sensation la plus agréable de l'année : Père glissait avec précaution son bas garni de surprises à ses pieds. Elle se retourna, à moitié endormie, faisant tinter la clochette accrochée à la chaussette.

Lorsqu'elle s'éveilla, elle sentit la merveilleuse magie de Noël monter en elle comme une bulle d'eau gazeuse. À travers la fenêtre perçaient les premiers rayons du soleil – le fait qu'il ne pleuve pas ajoutait encore à l'impression de perfection qu'elle avait.

– Il est passé ! Il est passé ! s'écriaient Juliette et Orly en se précipitant dans sa chambre, leurs bas à la main.

– Regarde ce que j'ai eu, tout un paquet de bonbons Life Savers !

– Et de la pâte à modeler Silly Putty !

– Et six petites voitures !

– Et un petit chien, mais en peluche ! Ça m'est égal, finalement.

– Attendez ! s'exclama Corrie entre deux éclats de rire. Je n'ai pas encore regardé dans le mien !

Ils poussèrent des cris devant chacun de ses cadeaux : encore des bonbons, une boîte de crayons de couleur et un rouleau de papier à dessin, un taille-crayon en forme de chat, une bande dessinée *Superman*, une bague avec une pierre d'un bleu étincelant, des jonchets et des gants en laine rouges. Et pour finir, bien entendu, une orange glissée tout au fond d'un bas de Noël.

Pour la première fois, Corrie se demanda comment Père savait ce dont ils avaient envie. Sébastien et Rose faisaient-ils ses achats à sa place ? Ou bien demandait-il aux vendeurs des magasins ce qui plaisait aux enfants ?

Pour l'heure, Corrie n'avait pas besoin de connaître la réponse ; il était bien plus amusant d'imaginer que les bas avaient été remplis par le Père Noël.

– Allons voir ce qu'a eu Harry ! dit-elle.

Et ils coururent dans sa chambre.

Tante Madge embrassa chacun d'eux au petit déjeuner. En arrivant dans la cuisine vêtu de sa vieille robe de chambre marron à franges, Père ressemblait à un ours sortant d'hibernation.

– Joyeux Noël à vous tous, mes chers enfants ! dit-il.

– Dépêchez-vous de manger s'il vous plaît, Père, le supplia Juliette. Nous avons presque fini !

Lorsque leur père eut terminé ses œufs au bacon, ils rejoignirent le salon. Corrie s'attarda à l'entrée de la pièce, désireuse de savourer le moment où elle allait découvrir le butin au pied du sapin.

Quelques instants plus tard, elle se retrouva entourée d'un tas de papiers cadeaux, déchirés avec frénésie et moult cris de joie. Orly découvrit son ceinturon, et les amorces qu'il tirait les unes après les autres empestaient l'atmosphère. Juliette remercia poliment tante Madge pour sa poupée Bella, mais elle était davantage séduite par ses patins à roulettes. Harry découvrit une panoplie de chimiste et Sébastien une grande boîte de gouaches. Il remercia Corrie avec effusion pour son canif. Rose ouvrit un écrin en velours offert par Père et découvrit un petit rang de perles.

– Oh, Père, elles sont superbes !

– Elles appartenaient à ta mère. Tu as tellement grandi cette année, Rosalinde, que je me suis dit qu'il était temps de te les offrir.

Rose l'embrassa hâtivement, les larmes aux yeux.

– Orly, regarde ! Des tortues ! s'exclama Juliette en découvrant le bocal posé sur une table.

– Ne leur faites pas de mal, les avertit Sébastien au moment où les jumeaux s'emparaient chacun d'une minuscule tortue qui se tortillait.

Corrie se dit tout d'abord qu'elle n'aurait pas son échasse à ressort. Elle s'efforça de se satisfaire de ses trois nouveaux livres, d'une visionneuse à diapositives, d'un jeu de coloriages magiques et, mieux encore, d'un minuscule lapin en peluche.

– Tu es peut-être trop grande pour les peluches, ma chère Corrie, mais celle-là avait l'air si vraie que je n'ai pas pu résister, précisa tante Madge.

– Je l'adore ! s'exclama Corrie.

Elle décida immédiatement de baptiser la peluche Pookie, en souvenir d'un lapin ailé dont, petite, elle adorait lire les aventures.

Les oreilles en arrière, Pookie semblait prêt à bondir. Sa fourrure était des plus réalistes et sous ses oreilles se cachait de la feutrine rose toute douce. L'animal était suffisamment petit pour que Corrie puisse le dissimuler dans le creux de sa main ou dans sa poche.

– N'oublie pas de regarder derrière le sapin, Cordelia, lui dit Père.

L'échasse était là ! Corrie courut l'essayer dans l'entrée. À sa grande joie, elle réussit à rebondir quatre fois avant de tomber.

– Laisse-moi essayer ! s'écria Juliette.

La seule ombre au tableau apparut lorsque Sébastien déballa le cadeau de tante Madge, une chemise blanche impeccable.

– Je ne sais pas ce qu'aiment les garçons de ton âge, expliqua-t-elle, nerveuse, alors je me suis dit qu'une nouvelle chemise te serait toujours utile.

134

– J'ai déjà plein de chemises, répondit froidement Sébastien. Mais merci quand même.

– Seb ! souffla Rose.

Corrie jeta un œil en direction de Père, mais il était en train d'aider Juliette en plein essayage de patins à roulettes. Tante Madge rougit, mais parvint à murmurer :

– De rien, mon cher Sébastien.

Juliette fit diversion à point nommé en leur demandant des idées de noms de tortue. Après une discussion animée où furent mentionnés Blondie et Dagwood, Elvis et Everly, le Lone Ranger et Tonto, Troïlus et Cressida[1], Corrie proposa Mira.

– C'est bête, s'exclama Juliette.

– Non, pas du tout. Et Clochette, alors !

Juliette applaudit :

– Mirabelle ! C'est parfait ! Mais l'autre tortue ?

– Riban, fit Harry l'air sérieux.

– *Riban* ?

– Ribambelle !

Tous grommelèrent, mais les tortues furent baptisées Mira et Riban.

– Il est presque l'heure de la messe, annonça Sébastien. Qui m'aide à ramasser les papiers ?

Les plus jeunes rivalisèrent entre eux pour déposer tous les emballages dans le panier à côté de la cheminée. À regret, ils quittèrent l'étalage de cadeaux sous le sapin et s'habillèrent pour partir.

---

1. Célèbres duos de la culture anglo-saxonne : il s'agit d'une bande dessinée, d'Elvis Presley et de son groupe, d'une série télévisée et d'une pièce de Shakespeare.

135

Il n'y avait pas de cours de catéchisme ce jour-là. Corrie apprécia de rester tranquillement dans l'église pendant toute la durée de l'office, en sécurité au milieu de sa famille. Elle ne cessait de caresser Pookie dans sa poche. L'orgue résonnait de son cantique préféré, *Douce Nuit*, tandis que Sébastien et Rose regagnaient leurs places après la communion. Rose cherchait du regard des amies de l'école, mais Sébastien semblait grave. Filtrant à travers les vitraux, des taches de couleur scintillaient sur son visage. Corrie frissonna : les chevaliers prenaient la religion très au sérieux ; Lancelot leur avait raconté l'histoire du saint Graal. Sébastien semblait si pur et si vertueux, comme s'il était vraiment messire Lancelot assistant à l'office avant la bataille.

Dans deux ans, elle recevrait la confirmation et pourrait communier. Corrie se demanda si cela lui plairait ; elle n'appréciait pas du tout le goût du vin.

Le reste de la journée de Noël s'écoula dans une sorte de félicité brumeuse... Les enfants jouèrent avec leurs cadeaux au pied de l'arbre, aidèrent tante Madge à dresser la table et à préparer la sauce, firent éclater des diablotins et s'amusèrent de voir Père avec un chapeau en papier rose sur son crâne dégarni, se régalèrent de dinde, de purée, de navets et de choux de Bruxelles, chantèrent « Nous voulons tous un pudding de Noël aux figues ! » au moment où tante Madge apporta fièrement le dessert en train de flamber. Ils trouvèrent encore une toute petite place pour le copieux pudding et sa sauce au beurre, s'écroulèrent en gémissant dans le salon devant le feu de cheminée, jouèrent aux charades, aidèrent tante Madge à faire la vaisselle. Enfin, tout le monde alla se coucher d'un pas chancelant, Père et Sébastien portant chacun l'un des jumeaux, tous deux assoupis.

Ce Noël avait été presque parfait. Sébastien ne s'était pas de nouveau opposé à tante Madge, et Rose et lui avaient été gentils l'un envers l'autre. Plus agréable encore, Père avait été présent à chaque instant.

Corrie s'enfonça dans le sommeil en serrant Pookie contre elle. Si seulement la magie pouvait se prolonger à jamais.

9

Un chevalier félon et scélérat

D'ordinaire, les vacances étaient les moments préférés de Corrie. À l'abri du monde extérieur, elle pouvait se réfugier au sein de sa famille et s'enfouissait sous son édredon les soirs de grand froid. Et Sébastien était toujours beaucoup plus heureux en vacances ; il pouvait davantage se consacrer à être Lancelot.

Tous les Premiers de l'an, les chevaliers de la Table ronde rejouaient la scène où le jeune Arthur retire l'épée du roc. L'épisode se déroule lors d'une cérémonie fastueuse, qu'ils devaient préparer. Cette année, ils fabriquaient des bannières pour chacun des chevaliers. Lancelot annonça que l'écuyer et les pages pourraient eux aussi porter un étendard. Ils passèrent des heures à découper des bannières dans du carton blanc qu'ils décoraient à l'aide des nouvelles peintures de Sébastien.

Corrie adorait les noms donnés aux couleurs, au Moyen Âge : or et argent comme les deux métaux, et les nuances azur, sinople, sable, gueules et pourpre. Lancelot leur dessina une page de symboles et chacun put choisir le sien. Gareth opta pour une étoile argent, avec un chien couleur sable et des ondulations azur. Maître Jules transforma tout son étendard en arc-en-ciel aux couleurs vives et s'emporta lorsque maître Orlando voulut faire de même. Ils fixèrent leurs bannières à de longues tiges de bambou.

Rose n'avait participé à aucune des réunions de la Table ronde de la semaine ; elle passait en fait ses journées chez Joyce.

– Je vous ai fabriqué un étendard splendide, messire Gauvain, lui annonça un jour Lancelot au salon. Vous assisterez à la cérémonie, n'est-ce pas ?

Il semblait davantage inquiet que fâché.

– Je suppose, s'il faut que je sois là, répondit Rose en rejetant la tête en arrière.

Elle sortit brusquement par la porte principale avant que Sébastien ait pu réagir. Corrie, qui avait tout entendu depuis l'escalier, frissonna devant le ton hostile de sa sœur.

– Que faites-vous tous les jours dans la cabane ? Je ne vous vois presque plus, questionna tante Madge lorsque Corrie revint chercher de l'eau pour leurs peintures.

Corrie se sentit mal à l'aise. La semaine passée, ils n'avaient pas quitté leur tante et s'étaient consacrés aux préparatifs de Noël ; ils n'avaient pas eu une minute pour la Table ronde.

– Nous jouons, c'est tout. Vous savez...

Assurément, tante Madge s'en souvenait. Ils ne lui avaient jamais parlé de la Table ronde mais, quand elle habitait avec eux, elle les avait souvent aperçus caracoler sur leurs chevaux ou se battre à l'épée dans le jardin.

– Je sais, soupira tante Madge. Vous jouez encore aux chevaliers. Ma chère Corrie, j'aimerais bien avoir une discussion avec toi à ce propos, tant que je suis là.

– Je ne peux pas, pour l'instant. Ils m'attendent, répondit Corrie en ressortant, sans laisser à sa tante le temps d'ajouter quoi que ce soit.

Mais, ce soir-là, pendant que les autres regardaient *Les Trois Mousquetaires*, tante Madge demanda à Corrie de l'aider à enrouler de la laine dans sa chambre. Sébastien jeta un regard méfiant à sa sœur au moment où elle quitta la pièce. Corrie lui adressa un sourire rassurant.

Comme c'était agréable de s'asseoir de nouveau sur le lit de tante Madge pendant qu'elle tricotait, installée dans son fauteuil. Corrie avait eu de nombreuses conversations agréables dans cette pièce. Elle avait entendu sa tante évoquer la petite ville d'Angleterre où son père et elle avaient grandi, ainsi que l'époque où tante Madge dirigeait un pensionnat de garçons à Winnipeg. Ensemble, elles avaient cherché comment venir à bout de la peur du noir d'Orly ou de l'habitude de Juliette de se ronger les ongles.

Tante Madge s'était toujours plus confiée à Corrie qu'à ses frères et sœurs.

– Tu me rappelles tant ma chère mère, lui répétait-elle sans cesse.

Corrie aurait aimé se souvenir de sa grand-mère. Elle était la seule fillette de son âge à ne pas avoir de grands-parents. Père ressemblait plus à un grand-père qu'à un père ; il en avait presque l'âge. Son détachement paraissait plus normal lorsque l'on faisait ce constat.

– Ma chère Corrie, il y a plusieurs choses dont j'aimerais te parler, commença timidement tante Madge.

– Quelles choses ? interrogea Corrie, tout aussi nerveuse.

141

– D'abord, je voudrais t'expliquer pourquoi je suis partie il y a deux ans.

– Je croyais que c'était parce que la cousine Daphné était malade, dit Corrie, la gorge serrée.

– C'est vrai. Mais c'était aussi à cause de Sébastien.

– Je ne crois pas que nous devrions en parler, s'empressa d'ajouter Corrie.

– Moi si, répondit tante Madge avec une fermeté inhabituelle. J'y réfléchis depuis mon départ. Mon enfant, je te demande simplement de m'écouter jusqu'au bout pendant quelques minutes.

Corrie aurait souhaité pouvoir prendre ses jambes à son cou.

– Sébastien ne m'a jamais aimée, reprit tante Madge. Il m'en a voulu dès que je suis arrivée pour vous aider. Parce qu'il s'imaginait que j'essayais de prendre la place de cette pauvre Molly, bien sûr. Molly et lui étaient si proches, te rappelles-tu ?

Corrie s'en souvenait vaguement. Maman et Sébastien passaient des heures à peindre ensemble. Sébastien avait un véritable don, avait-elle déclaré. Mais, à présent, il peignait et dessinait uniquement pour ses projets de chevalerie.

– C'est normal qu'un garçon de onze ans qui vient de perdre sa mère ressente de la colère contre ceux qui tentent de s'occuper de lui. Je le comprends. Et à l'exception de certaines fois, il gardait sa colère pour lui. Je croyais que ça lui passerait, et je ne pensais passer qu'une seule année avec vous. Mais quand votre père m'a demandé de rester, le comportement de Sébastien est devenu si extrême et si... si blessant. À la fin, il me menait vraiment la vie dure, tu t'en souviens peut-être.

Corrie ne savait plus où se mettre. Dès que Père leur avait

annoncé que tante Madge allait vivre avec eux de manière permanente, Sébastien avait commencé ses manœuvres.

À chaque repas, sauf pendant le dîner avec Père, Sébastien posait d'affreuses questions à leur tante :

– Chère tante Madge, attaquait-il d'une voix mielleuse, pourquoi ne vous êtes-vous jamais mariée ? Vous n'avez pas trouvé d'homme qui aimait les moustaches ?... Beurk, il y a quelque chose qui sent mauvais ici ! Tante Madge, vous n'avez jamais pensé à utiliser un déodorant ?

Tante Madge était estomaquée et rougissait, parfois les larmes lui montaient aux yeux. Si elle demandait à Sébastien de rendre un service, il répondait froidement : « Et pourquoi ferais-je cela ? » sur un ton sarcastique qu'aucun d'entre eux ne lui avait jamais connu.

Corrie et Rose avaient tenté de parler à leur frère. Mais il les avait ignorées :

– Tante Madge est Morgane la fée. Elle est maléfique et doit être vaincue.

– Mais *pourquoi* ? demandait Rose. Elle est très gentille et tu es vraiment insolent ! Il faut que tu arrêtes ça !

Mais la cruauté de Sébastien était demeurée. Corrie se souvenait combien il semblait désespéré. Le harcèlement n'avait duré qu'une semaine, mais celle-ci parut une éternité à la fillette.

Rose se rendait tous les soirs dans la chambre de Corrie et les deux sœurs se désolaient ensemble du comportement de Sébastien. Corrie estimait qu'elles devaient prévenir Père, mais comme d'habitude il était si accaparé par son travail qu'elles appréhendaient de l'importuner.

– De toute façon, avait déclaré Rose, je ne supporterais pas qu'il soit au courant du comportement odieux de Sébastien.

Qu'a-t-il à être comme ça, Corrie ? C'est comme s'il n'était plus le même !

Puis Daphné avait téléphoné et tante Madge leur avait annoncé qu'elle devait les quitter pour s'occuper de sa cousine. Corrie s'était sentie si soulagée à l'idée que la torture s'achève qu'elle n'avait pas réalisé combien sa tante lui manquerait.

C'était sans doute aussi un soulagement pour tante Madge, se disait aujourd'hui Corrie. Serait-elle restée si la cousine Daphné n'avait pas été malade ? Elle aurait peut-être parlé à Père et ils auraient fait face à Sébastien.

– Je suis désolée, tante Madge, murmura Corrie, les larmes aux yeux. Je suis vraiment désolée que Sébastien ait été si méchant avec vous.

Posant son tricot, tante Madge attira Corrie à elle et la serra contre sa veste rugueuse :

– Ce n'est rien, ma chère enfant. Il ne le faisait pas exprès, j'en suis certaine. Il était si malheureux à cause de la mort de sa mère, c'était plus fort que lui.

Corrie respirait l'odeur apaisante de son eau de Cologne. Elle avait très envie de pleurer et encore plus d'être consolée. « Jamais tu ne pleureras. » Corrie ravala ses larmes et se redressa.

Tante Madge reprit son ouvrage.

– Ce qui m'inquiète, ma chère Corrie, c'est que Sébastien ne m'accepte toujours pas. J'espérais qu'il admettrait enfin ma présence, mais il n'y arrive pas. Vois-tu, Daphné reprend des forces au fil des mois. Si elle n'avait plus du tout besoin de moi, peut-être que... En fait, j'espérais pouvoir revenir auprès de vous.

– Revenir ! Oh, tante Madge, vous croyez vraiment que ce serait possible ?

– Il n'y a rien qui me ferait plus plaisir. Vous me manquez tous affreusement – il ne s'écoule pas une minute sans que je pense à vous. Le problème, c'est...

– Sébastien, acheva Corrie d'un air sombre.

– Oui, Sébastien. Se comporterait-il de la même manière si je revenais ? Est-ce qu'il me rejetterait toujours ? Je ne sais pas si je pourrais de nouveau supporter son comportement d'autrefois, et je n'ai pas envie de le rendre malheureux.

La tête de Corrie lui tournait. L'attitude de Sébastien serait sans doute pire encore si leur tante revenait. Maintenant il avait pris l'habitude d'avoir des responsabilités, de contrôler leurs vies, de leurs horaires de coucher à leur argent de poche. Elle n'imaginait pas qu'il puisse changer. À la pensée du bonheur d'avoir de nouveau tante Madge à leurs côtés, Corrie ressentit, pour la première fois de sa vie, de la colère envers son frère.

– Je ne sais pas pourquoi Sébastien se conduit comme cela, marmonna-t-elle.

– Eh bien, il n'est pas à un âge facile. Je vais simplement continuer à essayer de sympathiser. Il finira bien par rendre les armes, non ? De toute façon, il se peut que l'état de santé de Daphné ne s'améliore pas et que je ne puisse pas revenir. Je n'aurais sans doute pas dû te dire cela, Corrie. Je suis désolée de t'avoir laissée espérer.

– Ce n'est pas grave, fit la fillette en s'efforçant de sourire.

Tante Madge posa de nouveau son tricot et se redressa.

– Maintenant, Corrie, il y a autre chose dont j'aimerais te parler. C'est à propos de votre jeu de chevaliers.

145

Corrie se sentit tout de suite sur ses gardes. Les grandes personnes n'avaient pas à se mêler de la Table ronde, pas même les gentilles comme tante Madge.

– Sébastien se prend pour Lancelot depuis qu'il est petit, expliqua tante Madge. Ta mère l'appelait son chevalier servant.

– Ah bon ?

Corrie n'avait jamais su que Sébastien était déjà un chevalier avant la mort de Maman.

– Après la mort de Molly, Sébastien vous a peu à peu enrôlés, Rose, Harry et toi, dans son jeu. Cela paraissait le rassurer et, tant qu'il était enfant, ce jeu semblait normal. Faire semblant, c'est ce que font tous les enfants. Mais, Corrie, je n'ai pas pu m'empêcher de remarquer combien ce jeu de chevaliers a pris de la place dans votre vie. Sébastien a quatorze ans ! Ce n'est pas sain pour un adolescent de se réfugier comme ça dans l'imaginaire. Rose le sait. Elle grandit, elle se fait de nouvelles amies et a des centres d'intérêt normaux pour une adolescente. Mais Sébastien se coupe de la réalité et, vous tous, à l'exception de Rose, en faites autant. Aucun de vous ne semble avoir d'amis ni de centres d'intérêt en dehors de la famille.

– Mais moi j'ai une amie maintenant ! répliqua Corrie. Elle s'appelle Meredith. Vous ne l'avez pas rencontrée parce qu'elle est partie en vacances. Orly et Harry se sont fait des camarades à l'école, et Juliette est la plus populaire des filles de sa classe !

– Je suis ravie de l'apprendre, répondit tante Madge en lui souriant. Néanmoins, je ne crois pas que ce jeu soit bon pour vous. Vous semblez tous être complètement obnubilés par vos chevaliers. Je trouve qu'il est temps que Sébastien y mette un terme.

– Non ! s'écria Corrie.

– Laisse-moi terminer, mon enfant. J'ai essayé d'en parler à William hier. Il n'a été d'aucun secours. Il a déclaré que Sébastien lui paraissait plutôt heureux et qu'il admirait sa vaste compréhension du Moyen Âge ! Je crois que toi, tu dois parler à Sébastien, Corrie. Je sais à quel point tu es proche de ton frère. (Tante Madge sourit.) Moi aussi, j'étais proche de William autrefois. Nous avons nous-mêmes joué à un jeu pendant des années : nous prétendions être des divinités grecques. Lui était Apollon, et moi Pan. Mais, ensuite, William est parti à l'université et, lorsqu'il rentrait, il était si absorbé par la littérature et par ses nouveaux et brillants amis qu'il n'adressait plus guère la parole à sa petite sœur sans intérêt.

Elle soupira, puis se tourna vers Corrie, le regard déterminé :

– Corrie, mon enfant, je crois que tu devrais suggérer à Sébastien d'arrêter ce jeu ridicule. Tu ne peux pas faire ça ? Tu pourrais continuer à jouer aux chevaliers avec ta nouvelle amie et avec les petits. Mais ce n'est pas bien pour un garçon de l'âge de Sébastien de se montrer aussi puéril.

Un jeu ridicule, la Table ronde ? Corrie se redressa et dit fermement :

– Je suis désolée, tante Madge, mais je ne peux pas demander ça à Sébastien. Et il n'y a rien qui cloche chez lui !

– Tu en es sûre ? interrogea doucement tante Madge. Est-ce qu'il se fait encore embêter ? Je me souviens que, juste avant que je parte, quand Sébastien est entré au collège, des voyous le suivaient après l'école et l'insultaient.

– Ils ont arrêté, répondit Corrie. (Au moins, c'était la vérité. Elle inspira profondément.) Sébastien s'est fait de vrais amis...

Il est très apprécié ! Ce jeu est réservé à la maison. Je ne vois pas ce qu'il y a de mal.

– Il a des amis ? Pourquoi personne ne lui téléphone jamais, alors ? Pourquoi il ne les voit pas cette semaine, comme Rose ?

– Ils sont tous... partis. Ses deux meilleurs amis sont au ski et l'autre est allé à... à Hawaï, répondit Corrie désespérée.

« Tu ne mentiras point. » Mais un chevalier devait tout de même mentir pour sauver la Table ronde.

À sa grande surprise, tante Madge parut la croire :

– Je suis très soulagée d'apprendre que Sébastien a des amis, Corrie. Bon, peut-être que je me faisais du souci pour pas grand-chose. Mais je souhaiterais vraiment qu'il ait une coupe de cheveux plus normale.

– Il n'est pas « normal » ! Il est spécial ! Il peut se coiffer comme il veut !

– Je conviens qu'il est spécial, Corrie. Il l'a toujours été. C'est un jeune homme extrêmement intelligent et très doué. Et je sais à quel point tu l'admires. Tu me préviendras s'il se retrouve isolé ? Dans ce cas, j'essaierai de nouveau de parler à ton père.

Corrie fit oui de la tête parce qu'elle n'avait pas d'autre choix :

– Je peux aller regarder la télé maintenant ?

– Bien sûr ! Je suis contente que nous ayons eu cette conversation, mon enfant. Et si Sébastien est heureux à l'école et qu'il a des amis, alors tout va bien. Il organise sans doute ce jeu à la maison pour vous faire plaisir à vous. Il ne va pas continuer bien longtemps, j'en suis sûre. Attends qu'il s'intéresse aux filles !

Tante Madge semblait vouloir se rassurer. Corrie la quitta.

Au lieu de descendre elle alla dans sa chambre, et se jeta tremblante sur son lit. Si la Table ronde n'existait plus, tout ce qu'ils avaient construit pour se sentir en sécurité et trouver un refuge depuis la mort de Maman disparaîtrait.

Elle ouvrit l'un des *Happy Hollisters*[1] qu'elle avait eus à Noël et se plongea dans les aventures absurdes mais réconfortantes d'une famille trop parfaite pour être vraie.

– Revivons à présent le bel acte de gloire de notre roi bien-aimé, entonna Sébastien.

Corrie frissonna, et pas uniquement en raison du froid qui régnait dans la cabane ; elle adorait cette cérémonie.

Ils avaient revêtu leurs plus belles armures et leurs plus belles tuniques. Brandissant leurs étendards, ils grimpèrent sur leurs chevaux auxquels ils avaient pour l'occasion tressé de nouvelles rênes et attendirent le signal de Lancelot. Corrie ne quittait pas Rose des yeux. Quel soulagement de la voir dans le costume habituel de messire Gauvain : un haut en cotte de mailles fabriqué dans des filets que Rose avait peints couleur argent l'année précédente. Elle paraissait aussi absorbée par la scène que le reste d'entre eux, même s'il était difficile d'interpréter son visage impassible.

– En avant ! s'exclama messire Lancelot.

Ils sortirent en formation de la cabane et paradèrent dans tout le jardin. Corrie imaginait Éclair rejetant sa noble tête en arrière, les encouragements et les cris de la foule ; elle faillit leur faire signe. En jetant un œil à la fenêtre de la cuisine, elle aperçut tante Madge qui les observait. Corrie évita son regard.

---

1. Série américaine pour enfants des années 1950.

Le cortège fit halte devant un rocher à demi enterré dans le fond du jardin. Sur le roc, une immense épée en bois dépassait d'une cuvette en fer-blanc retournée et percée au milieu.

Ils tinrent leurs chevaux tranquilles et ne bougèrent plus, pendant que Sébastien leur faisait l'habituel récit de la façon dont l'épée avait été enfoncée dans une enclume en acier sur un bloc de pierre, dans un cimetière de Londres. En lettres dorées était gravé sur la pierre :

CELUI QUI RETIRERA CETTE ÉPÉE DE CE ROC ET DE CETTE ENCLUME DEVIENDRA LE ROI LÉGITIME DE TOUTE L'ANGLE-TERRE.

Corrie voyait la scène de manière aussi nette que si elle se déroulait sous leurs yeux. L'arrivée à Londres d'Antor, de son fils Keu et de son fils adoptif Arthur pour assister à un tournoi le Jour de l'An. Keu ayant oublié son épée, il avait envoyé Arthur la chercher. En chemin, Arthur avait aperçu l'arme dans le cimetière.

– D'un seul geste, il retira doucement l'épée fichée dans le roc, déclara Sébastien.

Celui-ci arracha lui-même l'épée de la pierre et ils l'acclamèrent.

– C'est ainsi qu'Arthur fut désigné vrai roi d'Angleterre !

Sébastien avait l'air si majestueux qu'il aurait aussi bien pu être le jeune roi Arthur que Lancelot, décida Corrie.

– Et à présent, encore un dernier tour, mes braves compagnons, puis nous pourrons festoyer !

Ils regagnèrent Camelot sur leurs chevaux caracolant. Ce festin fut encore plus grandiose que celui d'octobre : de la dinde froide, de la boisson gazeuse en guise d'hydromel, du cake de Noël et des fruits secs.

– Si seulement on pouvait tout le temps manger sans couverts, soupira Orly, tenant entre ses doigts un long morceau de dinde qu'il grignotait en commençant par le bas.

– Maintenant que nous avons festoyé, messire Gauvain pourrait peut-être nous distraire, dit messire Lancelot.

Gauvain était connu pour ses talents de harpiste. L'an passé, il avait fabriqué un instrument à l'aide de fils tendus au-dessus d'une boîte de bois.

Lancelot tendit la harpe à Gauvain. Au lieu de s'en saisir, Rose se leva et se dirigea vers la porte.

– J'ai quelque chose à vous dire, commença-t-elle. (Son visage était blême et sa voix tremblante.) En particulier à toi, Sébastien. Je ne serai plus chevalier. Je suis trop grande pour tout ça. Ce n'est qu'un jeu – un jeu pour enfants. Toi aussi, tu es trop grand pour y jouer, Sébastien. Pourquoi tu ne laisses pas ça aux plus petits ?

Sébastien était devenu aussi pâle que sa sœur.

– Vous ai-je bien entendu, messire Gauvain ? murmura-t-il.

– Je ne suis plus messire Gauvain ! Tu as entendu, c'est fini pour moi ! Je ne jouerai plus jamais à ton jeu idiot !

Rose quitta la cabane en courant, faisant claquer la porte sur son passage.

Les autres demeurèrent silencieux et abasourdis.

– Ça ne fait rien, grommela enfin Sébastien entre ses dents. Ne faites pas attention aux propos de messire Gauvain, compagnons de la Table ronde. C'est un chevalier félon et scélérat.

Il s'exprima avec une telle froideur que Corrie en tressaillit.

– Qu'est-ce que ça veut dire ? demanda Juliette d'une voix effrayée.

– Cela veut dire que messire Gauvain est un chevalier malfaisant et déloyal. Il ne fait plus partie de la Table ronde – il est banni.

– Tu veux dire que Rose va s'en aller ? demanda Orly.

Il se leva et regarda la porte.

– Tout va bien, Orly, lui expliqua Corrie. Cela veut juste dire que Rose ne sera plus un chevalier. Elle fait toujours partie de la famille. C'est toujours notre sœur.

– Mais pourquoi est-ce qu'elle ne sera plus un chevalier ? demanda à son tour Harry.

– Parce qu'elle a décidé de ne plus en être un, répondit Sébastien avec amertume. Ces derniers temps, messire Gauvain était rarement là, de toute façon. Nous pourrons sans problème nous passer de lui. Maître Harry, aidez-moi à sortir son siège.

Harry aida Sébastien à ramasser la souche sur laquelle était gravé « Sire Gauvain ». Après l'avoir sortie, ils la jetèrent dans les fourrés derrière Camelot.

La fête était gâchée. Orly se mit à pleurer et Sébastien le raccompagna à la maison. Harry et Juliette avaient toujours l'air effrayé, et Sébastien ne desserrait pas les dents. En silence, ils réunirent les restes du repas et les rapportèrent dans la cuisine.

Sébastien monta dans sa chambre d'un pas lourd. Ils l'entendirent claquer sa porte.

– Qu'est-ce qui ne va pas ? demanda tante Madge tout en malaxant une pâte à gâteau. Vous vous êtes disputés ? D'abord, Rose revient contrariée, ensuite Orly, et maintenant c'est au tour de Sébastien !

152

– Ce n'est rien, murmura Corrie.

Elle prit Juliette par la main, partit à la recherche d'Orly et joua aux cartes avec les jumeaux jusqu'au moment du dîner.

Sébastien passa presque toute la fin des vacances enfermé dans sa chambre. Il dessinait un livre sur les oiseaux de proie, déclara-t-il à Corrie. À table, il gardait un visage fermé et parlait d'une voix tendue. Corrie n'osa pas aborder la défection de Rose.

Rose, quant à elle, semblait en paix avec elle-même. Corrie comprit combien elle avait dû se sentir tiraillée ces derniers mois entre la Table ronde et sa vie à l'école. À présent, elle pouvait se consacrer entièrement à ses préoccupations d'adolescente.

Elle commença à régler en permanence la radio sur une station de rock and roll. Des chansons comme *Jailhouse Rock* et *Wake Up Little Susie* résonnaient à travers la maison. Rose s'extasiait sur Elvis auprès de Corrie.

– Il est si beau ! disait-elle.

– Il est affreux ! répondait Corrie en frémissant.

La coiffure gluante du chanteur et son sourire figé lui faisaient peur.

– Tu es comme moi quand j'étais jeune, Rose, déclara en riant tante Madge. Pour moi, c'était Frank Sinatra. Je le vénérais ! D'ailleurs, c'est encore un peu le cas.

La veille de son départ, tante Madge les emmena tous voir – à l'exception de Sébastien, qui refusa de venir – *Le Tour du monde en quatre-vingts jours*. Par chance, les autres bavardèrent tellement avec leur tante que Corrie n'eut pas à le faire. Elle l'évitait depuis leur conversation. Elle détestait voir les regards meurtris que tante Madge lui lançait, mais elle ne pouvait prendre le risque de parler de nouveau de Sébastien ou de la Table ronde.

À présent, elle se tenait dans l'entrée et lui disait au revoir. Cette fois, c'est Rose qui monterait dans le taxi.

– Oh, mes chers enfants, comme vous allez tous me manquer !

Les yeux de tante Madge étaient brillants de larmes tandis qu'elle les embrassait les uns après les autres. Sébastien parvint même à sourire, il était bien entendu enchanté du départ de leur tante.

Corrie fut elle aussi sur le point de pleurer lorsque la douce silhouette l'étreignit. « Ne pars pas ! » aurait-elle voulu crier.

Après le retour de Père et de Rose, la maison parut vidée de son âme. Le lendemain, l'Éléphant reviendrait, et l'école reprendrait. Où était donc passée la magie de Noël ?

10

Le royaume de Cordith

Père ne remarqua pas, bien entendu, que Sébastien et Rose se conduisaient désormais l'un envers l'autre comme deux étrangers. Ils ne se parlaient que s'ils ne pouvaient faire autrement, en termes froids et polis. Corrie se surprit à regretter leurs disputes. Au moins étaient-ils alors eux-mêmes.

Corrie s'aperçut combien Meredith lui avait manqué lorsque les deux amies se retrouvèrent.

– Corrie, j'ai eu une perruche ! s'exclama Meredith lorsqu'elles se rejoignirent au coin de la rue comme à l'accoutumée. Elle s'appelle Pashmina, et elle est superbe. Tu peux venir chez moi aujourd'hui pour la voir ?

Après l'école, Corrie et les jumeaux se retrouvèrent dans la cuisine des Cooper et admirèrent Pashmina. La perruche était de toute beauté, avec ses taches bleu foncé et ses ailes mouchetées.

– Elle ne parle pas, se plaignit Meredith.

– Il faut que tu restes à côté de sa cage et que tu lui répètes la même chose sans arrêt, expliqua Corrie. C'est ce que Rose a fait.

Elles laissèrent les jumeaux papoter avec Mme Cooper pour monter dans la chambre de Meredith. Après avoir entendu le récit complet du séjour de son amie à Calgary, Corrie lui raconta comment Rose avait quitté la Table ronde.

Immédiatement, Meredith la supplia de nouveau de la laisser en faire partie :

– Je pourrais être Gauvain ! Il joue un rôle important – vous aurez besoin de lui.

– Tu sais bien que Sébastien ne sera pas d'accord.

– Alors, je serai Gauvain au lieu de Perceval lorsqu'on jouera aux chevaliers ici, déclara Meredith.

– J'y ai réfléchi, Meredith, répondit Corrie en pesant ses mots. Je crois que nous ne devrions plus jouer aux chevaliers. Sébastien serait fou furieux s'il l'apprenait.

– Mais il ne le saura pas !

– Quand même, je ne peux plus, répéta Corrie avec détermination. Je ne trouve pas ça bien.

– Mais *pourquoi* ?

– Je ne peux pas t'expliquer. Je ne veux plus, c'est tout, d'accord ?

Jouer aux chevaliers en dehors de la famille lui donnait l'impression d'être aussi scélérate et félonne que sa sœur.

Meredith continua d'argumenter, et la colère monta chez les deux amies. Lasse de se répéter, Corrie quitta précipitamment la pièce, attrapa au vol les jumeaux très surpris et rentra chez elle. Le reste de la journée s'écoula péniblement, et elle s'efforça de ne pas penser à Meredith jusqu'à ce qu'elle soit couchée.

Elle avait perdu sa meilleure amie ! « Toujours loyal, tu seras. » Depuis que Rose les avait abandonnés, Corrie avait compris à quel point elle avait été déloyale en jouant aux chevaliers dans le dos de Sébastien. Lancelot avait plus que jamais besoin de compter sur Gareth, maintenant qu'il n'y avait plus d'autre chevalier.

Pourquoi Meredith ne pouvait-elle comprendre cela ? L'idée de ne plus jamais jouer avec elle, de ne plus jamais aller dans cette maison accueillante était insupportable.

« Jamais tu ne pleureras. » Corrie ravala ses larmes, balayant une autre pensée déloyale : sans la Table ronde, cette dispute n'aurait pas eu lieu.

– Je suis vraiment *DÉSOLÉE*, Corrie, s'empressa de lui annoncer Meredith le lendemain matin. Je ne comprends pas pourquoi Sébastien a autant de pouvoir sur toi, mais c'est ton frère. Si moi j'avais un frère, je ferais peut-être pareil. Nous ne sommes pas obligées de continuer à jouer aux chevaliers.

Corrie était si soulagée qu'elle se contenta de sourire sans rien dire.

Ce jour-là, après l'école, elles commencèrent un nouveau jeu en déguisant leurs petits animaux en peluche. Corrie n'avait que Pookie, mais Meredith lui prêta l'écureuil et deux de ses ours.

Meredith avait déjà baptisé ses ratons laveurs Raccy et Coony. Elles nommèrent l'écureuil Perri, comme dans le film de Walt Disney. Les quatre ours s'appelaient Edward, Oscar, Simon et George.

Mme Cooper possédait un grand panier garni de matériel de couture. Corrie et Meredith passèrent des heures à confectionner de minuscules capes ornées de paillettes, et des chapeaux fendus pour laisser passer les oreilles des animaux et qui s'attachaient avec un ruban de soie brodé. Une petite clochette décorait le chapeau de Pookie.

Les jours où le temps était suffisamment sec pour jouer dehors, elles fabriquaient des maisons en brindilles et des lits de feuilles pour les animaux dans le jardin rocailleux des Cooper. Elles disposèrent des cailloux en cercle dans un coin du jardin et nommèrent l'endroit le cercle de Cordith, en s'inspirant de leurs deux prénoms. Les quatre ours étaient les rois, les ratons laveurs les princes, et Pookie était une princesse.

Tous les animaux pouvaient voler. Corrie et Meredith en choisirent un chaque jour pour l'emmener en classe. Elles les faisaient voler sur le chemin, mais dès qu'elles apercevaient le bâtiment de l'école, elles les dissimulaient dans les poches de leur manteau.

Au début, les peluches n'en bougèrent pas pendant les cours. Puis, comme ni l'une ni l'autre n'avait de poche à sa jupe, elles se fabriquèrent de petits sacs et portèrent leurs animaux autour du cou.

C'était l'idée de Meredith ; Corrie craignait qu'on ne le remarque, mais son amie lui expliqua comment faire. Si on lui demandait « Qu'est-ce que tu as autour du cou ? », Corrie devait hausser les épaules et répondre d'un ton nonchalant : « Oh, rien. » Elle s'y habitua et commença à apprécier le pouvoir que conférait ce mystère.

Un jour, à la récréation, elles étaient entourées par le groupe des Cinq.

– Nous n'en pouvons plus de ce suspense ! fit Donna en souriant. Allez, *s'il vous plaît*, montrez-nous ce que vous avez autour du cou !

– Qu'en dis-tu, Corrie ? répliqua Meredith en gloussant. On leur montre ?

– Je... je suppose, bredouilla Corrie.

Et si elles trouvaient d'une incroyable puérilité le fait de jouer avec des animaux en peluche ?

Mais les cinq fillettes poussèrent un cri de ravissement en apercevant Pookie et Raccy. Elles admirèrent leurs capes et caressèrent leurs têtes toutes douces.

Le lendemain, Darlène apporta une minuscule souris vêtue d'une cape rouge. Donna avait une girafe, et Gail un fox-terrier. Comme elles disposaient fièrement leurs peluches sur leur pupitre, Corrie et Meredith sortirent les leurs de leurs pochettes. Le cours d'arithmétique était beaucoup plus facile à supporter avec Pookie juché sur l'encrier.

Dans les deux semaines qui suivirent, toutes les filles de la classe vinrent avec une petite peluche déguisée à l'école. M. Zelmach décréta qu'il les autorisait à poser les animaux sur leurs tables, à condition que personne ne les prenne ni ne joue avec pendant le cours.

Bientôt, l'autre classe de 6e année et quelques élèves de 5e apportèrent également des peluches. Toute la récréation était consacrée à présenter les animaux de chacun et à les comparer.

– Nous avons lancé une mode ! jubilait Meredith.

Il y avait plus beau encore : Corrie et Meredith avaient gardé pour elles leur jeu secret. Toutes les filles s'amusaient à baptiser leurs animaux et à les habiller, mais aucune ne connaissait l'existence du royaume de Cordith ni les histoires de plus en plus compliquées que Corrie et Meredith inventaient à son sujet.

Pour Corrie, ce nouveau jeu constitua un refuge bienvenu. Elle donna à Harry un mois d'argent de poche pour qu'il raccompagne les jumeaux deux jours de plus par semaine. Elle eut du mal à renoncer à cet argent qu'elle consacrait aux bandes dessinées et aux bonbons, mais le sacrifice en valait la peine. Elle passait à présent presque tous ses après-midi à jouer chez Meredith. Même le jeudi, lorsque cette dernière allait en vélo à son cours de piano, Corrie restait chez son amie et aidait Mme Cooper à préparer le dîner.

La mère de Meredith était d'une compagnie très agréable. Elle discutait avec Corrie comme si c'était une grande personne en lui avouant combien ses parents, restés à Calgary, lui manquaient.

– Nous essayons de les convaincre de s'installer ici, mais ils ne veulent pas bouger ! se lamentait-elle.

Mme Cooper donna à Corrie un sac rempli de boîtes à chaussures pour ses dioramas.

– Est-ce que tout va bien, Corrie ? lui demandait-elle parfois.

Elle lui assurait que oui. Elle baissait la tête au-dessus du comptoir pour dissimuler sa honte d'avoir, de nouveau, à mentir.

À l'exception des réunions de la Table ronde, qui se déroulaient encore tous les samedis, leur vie bien réglée à la maison partait à vau-l'eau. Sébastien avait changé. À la fin du mois de janvier, son humeur parut d'un seul coup tellement plus joyeuse que Corrie s'imagina tout d'abord que Rose et lui s'étaient réconciliés. Mais tous deux continuaient de s'ignorer.

Sébastien assistait aux repas les yeux dans le vague. Il sifflait en permanence. Et à chaque rendez-vous de la Table ronde, il leur lisait des histoires évoquant Guenièvre.

– « Tous les jours de sa vie, il aima la reine bien davantage que toutes les autres dames et damoiselles, pour elle réussit de nombreux faits d'armes, et la sauva du feu grâce à ses exploits chevaleresques », récita-t-il d'une voix douce.

– C'est trop gnangnan, se plaignit Orly.

– Pas du tout ! répliqua Juliette. Guenièvre est brave, n'est-ce pas ?

– C'est la plus brave et la plus belle femme du monde, maître Jules, répondit Lancelot en lui souriant.

Sébastien devenait de plus en plus distrait. Il ne réagissait pas quand Harry manquait son tour de vaisselle ou quand Juliette renversait son bol de céréales sur la table. Il oubliait de leur donner leur argent de poche. Il oublia même son propre anniversaire. Lorsqu'ils lui offrirent ses cadeaux au petit déjeuner, il afficha un sourire stupéfait.

Rose était désormais absente presque tous les soirs et faisait ses devoirs chez Joyce. Sébastien montait directement dans sa chambre après le dîner et ne faisait plus respecter les horaires de coucher de chacun. Les autres veillaient de plus en plus tard devant des émissions de télé que Sébastien ne les avait jamais autorisés à regarder. Rose rentrait vers neuf heures et, furieuse, les envoyait tous au lit. Le matin, ils se levaient péniblement en bâillant de fatigue.

Corrie éteignait sa lumière de plus en plus tard. Elle avait du mal à se concentrer à l'école et s'endormait parfois sur le lit de Meredith. Orly avait les yeux cernés et éclatait en sanglots à la moindre contrariété. Juliette se bagarra avec une autre fillette et fut convoquée dans le bureau du directeur.

Lorsqu'Harry lui raconta qu'il s'était fait réprimander à l'école pour s'être endormi en classe, Corrie décida de se charger elle-même des horaires de coucher. Ce soir-là, elle insista pour que les jumeaux aillent au lit à huit heures comme prévu et Harry à huit heures trente. Même si elle regrettait sa lecture du soir, elle se força quant à elle à éteindre sa lumière à neuf heures.

– Ça me démange ! se plaignit Juliette un matin en grattant des boutons rouges apparus sur son visage.

– Oh, non ! s'exclama Rose. La varicelle !

– Comment tu le sais ? s'étonna Corrie.

– Harry l'a eue il y a deux ans, tu ne t'en souviens pas ? Corrie fit signe que oui.

– Qu'est-ce qu'on va faire ? demanda-t-elle.

D'ordinaire, Sébastien aurait eu une idée, mais il était parti à l'école plus tôt.

– La coucher et appeler le médecin, je pense.

– Mais qui va s'occuper de moi ? interrogea Juliette, fière de l'intérêt qu'on lui portait.

Les autres réfléchirent à sa question. Avant l'entrée à l'école des jumeaux, c'était la gouvernante – ou, encore avant, tante Madge – qui s'occupait des malades de la famille.

– L'Éléphant sera là, répondit Harry.

– Tu sais bien qu'elle ne s'occupera pas de Juliette.

Rose semblait dépitée :

– Je vais devoir rester à la maison. Mais j'ai un contrôle de maths aujourd'hui ! Et je vais manquer l'entraînement des majorettes !

– Je vais rester à la maison, moi, proposa Corrie.

– Moi aussi ! s'exclama Harry.

– Ne soyez pas bêtes. Vous êtes beaucoup trop petits ! répondit Rose d'un ton brusque.

Les larmes lui montèrent ensuite aux yeux.

– Excusez-moi tous les deux, je ne voulais pas vous gronder. Mais ce n'est pas facile, quand même ! Et si Juliette est malade toute la semaine ? Et si Orly attrape aussi la varicelle ? C'est certainement ce qui va se passer ; il est le seul de la famille à ne pas l'avoir eue. Qu'allons-nous faire ? (Elle se mit à pleurer pour de bon, affalée sur la table.) Ce n'est pas juste ! J'en ai assez d'essayer de m'occuper de tout le monde, surtout que Seb ne participe plus à rien en ce moment.

Harry tapota Rose dans le dos d'un air embarrassé pendant que les jumeaux assistaient effrayés à la scène.

– C'est Père qui devrait s'occuper d'elle, affirma Corrie. Je vais le réveiller et le lui dire.

Rose leva vers sa sœur un visage plein de larmes :

– Ne fais pas ça, Corrie ! Il doit aller travailler !

– C'est notre *père*, poursuivit Corrie d'un ton ferme qui paraissait celui d'une étrangère. C'est lui qui est supposé s'occuper de nous.

Elle se dépêcha d'aller frapper à la porte du bureau. Un instant plus tard, leur père ouvrait en bâillant, emmitouflé dans son peignoir.

– Je suis désolée de vous déranger, Père, mais on dirait que Juliette a attrapé la varicelle et nous devons aller à l'école.

– La varicelle ! s'exclama Père en secouant la tête comme pour se réveiller.

Il se rendit aussitôt dans la cuisine pour examiner Juliette.

– Allons, ne vous inquiétez de rien, leur dit-il, en réagissant avec une attention d'ordinaire réservée à la seule journée du dimanche. Je vais appeler le médecin et mettre Juliette au lit. Toi aussi, petit Orlando, tu ferais mieux de rester à la maison, parce que tu vas forcément l'attraper. Allez, au lit, tous les deux. Je viens dans un instant vous lire une histoire en attendant l'arrivée du docteur.

– Mais, Père, demanda Rose, et vos cours ?

– Je vais téléphoner pour les annuler. Allons, filez tous à l'école avant d'être en retard, dit-il en les conduisant vers la porte.

Lorsque Corrie rentra à la maison, Orly présentait lui aussi des boutons. Les jumeaux étaient tous deux fiévreux et grognons, leur chambre n'était plus que lits en bataille, amas de jeux et de boissons. Père paraissait lui-même ébouriffé et fatigué, mais il refusa leur aide.

– Le docteur Blair a dit qu'il s'agissait d'une varicelle bénigne. Ils seront sur pied dans une semaine.

– Une semaine ! Vous pourrez rester à la maison aussi longtemps ? lui demanda Corrie.

Père sourit :

– Tout est arrangé. J'ai un assistant qui peut me remplacer pour les cours – c'est une bonne opportunité pour lui. Et lorsque les jumeaux feront la sieste ou regarderont la télévision, je travaillerai un peu à mon livre.

– Mais... avez-vous envie de vous en occuper toute la journée ? Vous pourriez peut-être embaucher un peu plus l'Éléphant pour qu'elle s'en charge.

– Mme Éléphant a clairement dit qu'elle ne souhaitait pas de travail supplémentaire. Elle est plutôt susceptible, non ? Mais peu importe, je suis ravi de rester à la maison. Nous nous amusons bien, n'est-ce pas ? Nous avons lu quelques-unes des *Histoires comme ça* de Kipling et nous allons entamer le conte symbolique de Kingsley, *Les Bébés d'eau*. Nous avons joué à la bataille et au menteur, construit un château avec des pièces imbriquées en bois, et dessiné des dragons et des chevaliers.

– Nous avons une maladie, Corrie, déclara Juliette. Nous risquons de mourir !

– Personne ne va mourir, ma chère Juliette, rectifia Père en lui appliquant une lotion rose sur les joues. Allons, souviens-toi que tu ne dois pas te gratter.

Il prit Juliette dans ses bras qui, chose étonnante de la part de la petite fille, appuya son front brûlant contre l'épaule de son père. Quelle chance avaient Juliette et Orly, se dit Corrie, d'avoir Père pour eux seuls durant tout ce temps !

Ce fut une semaine où ils furent dégagés de toute responsabilité. Personne n'eut à s'inquiéter des jumeaux – de leurs bains, de leurs repas ou de leurs trajets entre l'école et la maison. Mais les jours suivants, les jumeaux étant parfaitement rétablis, Père regagna son bureau et ils durent de nouveau se débrouiller seuls.

11

Guenièvre

La varicelle des jumeaux passa presque inaperçue aux yeux de Sébastien. Il devenait de plus en plus distant, observant chaque matin ses frères et sœurs avec bienveillance à travers ses paupières mi-closes.

– Tu vas bien, Sébastien ? lui demandait Corrie.

– Très bien ! répondait-il les yeux brillants.

Corrie attendait qu'il en dise plus, mais il avait cessé de se confier à elle.

Il a un secret, décida-t-elle. *Il se passe quelque chose dans sa vie – quelque chose de bien, de toute évidence – qui n'a rien à voir avec moi ni avec la famille.* Cela devait donc avoir un lien avec l'école. Corrie se réjouissait de le voir plus heureux qu'auparavant. Mais elle détestait se sentir autant à l'écart.

– Nous allons jouer à un nouveau jeu, annonça-t-elle à Meredith. Nous allons espionner Sébastien.

– L'espionner ! Mais pourquoi ?

Corrie essaya de prendre un ton dégagé :

– Oh, c'est juste qu'il se conduit de manière étrange en ce moment. Ce sera drôle. Nous pouvons nous cacher à côté de son école et attendre qu'il sorte.

Le lendemain, elles remontèrent à toute allure à vélo les dix pâtés de maisons jusqu'au collège de Laburnum. Elles dissimulèrent leurs bicyclettes dans des haies de laurier à proximité de l'entrée et s'écroulèrent sur le sol humide pour reprendre leur souffle.

– La cloche n'a même pas encore sonné, constata Corrie, la voix haletante. Heureusement que l'école de Sébastien se termine plus tard.

Elles regardaient impressionnées la bâtisse en brique rouge. Elle était immense ! Rose affirmait qu'il y avait plus de cinq cents élèves dans l'école. Tous des adolescents, qui parlaient de questions effrayantes comme d'avoir un petit ami, de se maquiller ou de danser le swing. Corrie palpa Pookie dans la poche de son manteau. À coup sûr, l'école secondaire ne réservait aucune place aux animaux en peluche.

– Si seulement on pouvait toujours rester dans la même école, murmura Meredith.

Leur moral baissa lorsque la cloche retentit et que des nuées de jeunes gens, livres à la main, vinrent se rassembler sur les marches. Il faisait doux pour un mois de février et les élèves s'attardaient, pour la plupart en groupes de filles et de garçons qui se lançaient des œillades.

– Salut, Linda ! s'écria un garçon de l'un des groupes. Kevin est amoureux de toi !

Les filles gloussèrent en chœur tandis que tous les garçons s'esclaffaient. Les chemises blanches, les chaussures brillantes et les chevelures gominées luisaient dans le soleil d'hiver. C'était comme regarder une autre espèce.

Rien d'étonnant à ce que Rose ait abandonné la Table ronde ! se dit Corrie. Cette école était trop réelle pour faire semblant.

168

Rien d'étonnant non plus à ce que Sébastien se replie autant sur son rôle de chevalier. On ne pouvait qu'aller dans un sens ou dans l'autre : plonger dans l'effervescence adolescente ou s'en préserver. Que choisirait-elle ?

Meredith la divertit de ces pensées perturbantes :

– Regarde ! Voilà Rose ! souffla-t-elle.

Corrie observa sa ravissante grande sœur. Elle descendait les marches entourée de ses amies. Elles parlaient d'une voix forcée, en prenant soin de ne pas regarder les groupes de garçons. L'un d'eux, que Corrie reconnut comme le rouquin Ronnie, regardait Rose d'un air enamouré. Rose et ses amies disparurent au coin de la rue en direction de l'abri à vélos.

La plupart des groupes avaient à présent quitté les marches de l'école. Il faisait frais sous la haie de laurier, et Corrie avait des crampes à force de se tenir accroupie au-dessus de la terre.

– Sébastien est peut-être sorti par une autre porte, fit Meredith.

C'est alors qu'il apparut. Il n'était pas seul : il parlait avec une fille de grande taille, aux épais cheveux bruns nattés lui tombant dans le dos. Elle était tout de noir vêtue. Elle avait le visage tourné vers Sébastien et l'écoutait avec tant d'attention qu'elle trébucha. Il la rattrapa par le bras. Il ne la lâcha pas pendant qu'elle descendit le reste des marches, puis il lui donna la main et ils s'éloignèrent sans se presser.

Corrie se leva, les jambes tremblantes.

– Waouh ! s'exclama Meredith. Il a une *petite amie* !

Corrie ne parvint pas à répondre. Ce qu'elle venait de voir ne pouvait être vrai. Debout dans le soleil, elle frotta ses mains glacées.

169

– Corrie, est-ce que ça va ? lui demanda Meredith. Dis quelque chose !

– C'est si... étrange, répondit Corrie. Sébastien n'a jamais eu de petite amie !

– Eh bien, il a quinze ans, ajouta calmement Meredith.

– Oui, mais... (Elle n'arrivait pas à s'expliquer. C'est comme si son frère était devenu un étranger.) Je la connais, ajouta-t-elle enfin. Elle était dans notre école. Elle s'appelle Jennifer – Jennifer Layton.

– Elle est très séduisante, on dirait une star de cinéma !

– Elle n'était pas comme ça avant. Elle avait les cheveux plus courts et était toujours avachie. Elle écrivait des poèmes, aussi. Elle en avait écrit un si réussi pour le jour de l'Armistice qu'elle l'a lu devant toute l'école. Elle était plutôt timide : elle ne parlait qu'en marmonnant et en regardant ses pieds.

– En tout cas, elle n'a plus du tout l'air timide, répliqua Meredith au moment où elles remontaient à vélo.

– Je suppose que les gens changent quand ils vont au collège, commenta Corrie. Comme Rose.

Et comme Sébastien, à présent.

Corrie mourait d'envie de dire à Sébastien qu'elle était au courant pour Jennifer. Mais il saurait alors qu'elle l'avait espionné. « Tu ne mentiras point. » Est-ce que ne rien dire était déjà mentir ? Mais si elle ne lui parlait pas, comment révéler qu'elle savait tout ?

Elle se débattit avec cette idée pendant plusieurs jours. Puis, un samedi en fin d'après-midi, elle frappa à la porte de Sébastien.

– Tu peux m'aider à terminer ce chaperon pour Mercury ? lui demanda-t-elle.

– Tu as très bien réussi, Gareth, déclara Lancelot en prenant le minuscule capuchon. Il ne manque plus que des liens.

Corrie regarda fixement son frère, puis laissa échapper :

– Je sais, pour toi et Jennifer.

Sébastien rougit jusqu'aux oreilles. Il fit entrer Corrie dans sa chambre et ferma la porte.

– Ah bon ? Mais comment ?

– Nous t'avons suivi, Meredith et moi, répondit Corrie entre ses dents. Je suis désolée, Sébastien, s'empressa-t-elle d'ajouter en le voyant s'assombrir. Ce n'était pas très honnête mais tu te conduisais de façon si bizarre ces derniers temps et tu refusais de me parler. Je me doutais que tu avais un secret. Il fallait que je sache lequel !

– Tu as eu tort de m'espionner, lui dit Sébastien. Les chevaliers ne s'espionnent pas. Je suis désolé d'avoir fait autant de mystères. J'allais finir par te parler d'elle. C'est juste que c'est si... récent, expliqua-t-il en souriant avec douceur.

– Alors, parle-moi d'elle, le pressa Corrie, assise sur le lit de son frère.

– Elle s'appelle Jennifer Layton – tu l'as sans doute vue à l'école Duc-de-Connaught. Tu ne trouves pas ça incroyable ? Jennifer, comme Guenièvre ! En fait, c'est de là que vient son nom, j'ai vérifié.

À présent, elle comprenait pourquoi Sébastien était tout à coup devenu obnubilé par les légendes sur Guenièvre.

– Est-ce que Jennifer est gentille ? interrogea timidement Corrie.

– Elle est incroyable ! Elle écrit des poèmes superbes. Et elle ne me trouve pas étrange. Elle aime beaucoup mes cheveux longs. C'est parce qu'elle aussi est différente. Aucune autre fille ne s'habille ni ne se conduit comme elle. Elle ne se comporte pas bêtement comme les autres, et elle est très sûre d'elle. Elle ne fait rien qui manque à ses principes. Elle ferait un bon chevalier... si elle ne ressemblait pas à Guenièvre, bien entendu.

– Tu lui as parlé de la Table ronde ?

– Pas encore, répondit Sébastien. Elle risque de trouver cela trop curieux.

Corrie était soulagée. Un chevalier avec une petite amie, c'était vraiment trop perturbant.

– Le problème, c'est que nous ne pouvons pas nous voir en dehors de l'école, expliqua Sébastien. Nous faisons le chemin ensemble tous les jours mais je dois la quitter à une rue de chez elle. Ses parents sont très stricts. Elle n'a pas le droit d'avoir un petit ami avant ses seize ans. Nous allons donc devoir attendre encore une année avant que je puisse me promener avec elle.

Corrie se sentit encore plus soulagée. Si Jennifer appartenait uniquement à la vie scolaire de Sébastien, les choses pourraient demeurer presque identiques.

– Tu n'as pas idée, Corrie, à quel point Jennifer est incroyable. Elle est parfaite. Elle est exactement comme la vraie Guenièvre – belle et brave, poursuivit Sébastien plein d'émerveillement.

– Sauf que Guenièvre n'a pas vraiment existé, rétorqua Corrie en pesant ses mots. Ce n'est qu'un récit. Jennifer, elle, elle existe pour de vrai.

172

Et personne ne peut être aussi parfait, se dit-elle en son for intérieur.

– Enfin... elles existent toutes les deux. C'est sans doute difficile à comprendre pour toi, Corrie, mais je crois que Jennifer est en fait la réincarnation de Guenièvre.

– La quoi ?

– La réincarnation, répondit Sébastien en s'animant brusquement. C'est lorsqu'un être du passé renaît dans le corps d'une personne du présent. Ils reviennent avec nous. C'est le sens de la Table ronde, d'une certaine manière. Je suis la réincarnation de Lancelot. Peut-être même que tu es la réincarnation de Gareth !

Corrie sentit la tête lui tourner. L'intensité avec laquelle Sébastien s'exprimait, son regard lointain, l'effrayaient.

– Mais Lancelot, Gareth et Guenièvre ne sont que des histoires ! Ils n'ont pas existé !

– Ils sont *devenus* des histoires, mais ces récits s'appuient sur des figures historiques. Nous en avons de nombreuses preuves. Un jour, j'irai au château de Tintagel et à Glastonbury en Angleterre. Père y est allé. Il m'a raconté qu'il y avait ressenti la présence d'Arthur.

– D'accord... concéda Corrie. Peut-être que le roi Arthur et ses chevaliers *ont existé*. Mais je ne vois pas comment ils pourraient de nouveau exister dans le corps de quelqu'un d'autre. C'est trop bizarre. Gareth ne se trouve pas dans mon corps. Je fais juste *semblant* d'être Gareth.

– Ce n'est pas du tout bizarre, reprit Sébastien avec patience. Et tu n'es sans doute pas la réincarnation de Gareth. Tu le sentirais si c'était le cas. Comme moi : je *sais* que Lancelot est en moi. Tout comme je sais que Guenièvre s'est réincarnée en Jennifer pour que Lancelot et elle puissent enfin être réunis.

– Est-ce que Jennifer est au courant ? Est-ce qu'elle sait qu'elle est la... comment tu dis déjà ?

– Réincarnation.

– Est-ce qu'elle sait qu'elle est la réincarnation de Guenièvre ?

Sébastien secoua négativement la tête :

– Elle n'est pas encore prête. Un jour, elle comprendra qu'elle est Guenièvre, mais c'est encore trop tôt. Et je ne veux pas le lui dire trop vite, pour ne pas l'effrayer.

– Ne lui dis pas surtout, Sébastien. Elle risque de se moquer de toi.

– Jennifer ? Elle ne ferait jamais cela !

Corrie se sentit soudain plus âgée que Sébastien. S'efforçant de masquer son inquiétude, elle lui tapota le bras et dit, d'un ton joyeux :

– Eh bien, je suis ravie que tu te sois fait une amie à l'école. Je suis sûre que Terry et sa bande sont plus gentils avec toi, maintenant.

– Mordred, tu veux dire ! lança Sébastien en riant. Il est jaloux ! Il aime bien Jennifer lui aussi – il la suivait partout avant. Comme moi, jusqu'à ce qu'elle se mette à faire attention à moi. Elle déteste Mordred – elle me l'a dit, glissa-t-il avec un sourire. Je suis content que tu sois au courant pour Jennifer, Corrie. Est-ce que tu aimerais la rencontrer un de ces jours ?

– C'est bien comme ça, s'empressa de répondre Corrie.

Elle ne s'était pas encore faite à l'idée que Sébastien puisse être à ce point accaparé par une personne extérieure à la

174

famille. Rencontrer Jennifer en chair et en os représenterait un trop grand bouleversement. Elle devait être sympathique, si Sébastien l'appréciait, mais Corrie se sentait menacée par son existence.

Corrie et Rose étaient assises sur le lit de celle-ci pendant que Clochette volait à tire-d'aile à travers la pièce.

– Pourquoi Sébastien est-il si distrait en ce moment ? interrogea Corrie, désireuse d'entendre la version de sa sœur aînée.

– Il a une petite amie ! répondit Rose en pouffant. Jennifer Layton – tu te rappelles, elle était aussi à l'école Duc-de-Connaught ? Elle est assez bizarre. Elle s'habille tout en noir et porte une longue tresse. (Son visage s'adoucit.) Mais je suis ravie que Seb ait une copine. Il a l'air beaucoup plus heureux, tu ne trouves pas ?

– Oui... fit Corrie.

Que dirait Rose si elle était au courant de cette histoire de réincarnation ?

La veille même, Sébastien avait montré à Corrie un foulard appartenant à Jennifer qu'il avait noué autour de son bras, sous sa chemise. Il avait expliqué à sa sœur qu'il s'agissait d'une « faveur », comme celles que les dames donnaient à leurs chevaliers :

– C'est la Guenièvre qui est en elle qui l'a poussée à me le donner.

– Sait-elle que tu l'as noué autour de ton bras ?

– Non. Jennifer ne se souvient pas encore que Guenièvre donnait des faveurs à Lancelot. Mais elle s'en souviendra – elle ressemble de plus en plus à Guenièvre au fil des jours.

175

Corrie avait tremblé en entendant ces propos. Mais à écouter Rose, Sébastien semblait parfaitement normal. Il n'y avait sans doute pas lieu de s'inquiéter. Sébastien était juste amoureux et se conduisait de manière aussi étrange que tous les amoureux des films et des chansons. Que savait-elle, elle, Corrie, de l'amour ? Cela ne l'intéressait pas le moins du monde, rien d'étonnant donc à ce qu'elle n'arrive pas à comprendre Sébastien.

– Peut-être que Jennifer va persuader Seb de se couper les cheveux, poursuivit Rose. Il va peut-être même abandonner la Table ronde. Vous y jouez toujours ?

– Bien sûr ! Nous organisons des réunions tous les samedis. Nous sommes en train de construire le château de Joyeuse Garde sur le terrain de golf. Et Sébastien ne se coupera jamais les cheveux ni ne renoncera à être chevalier ! Il est plus Lancelot que jamais !

Une partie de Corrie mourait d'envie d'avouer à Rose combien tout cela pouvait être à la fois vrai et dérangeant en ce moment. Mais si Rose estimait que Sébastien avait un réel problème, elle aussi serait obligée de l'admettre.

Rose lui adressa un sourire de sœur aînée qui avait quelque chose d'agaçant.

– Il faudra bien qu'il abandonne un jour la Table ronde. Il a quinze ans ! Tu t'en sortirais très bien sans lui – tu pourrais être la nouvelle responsable. Et bientôt, toi aussi, tu seras trop grande pour ce jeu. Tout le monde doit grandir un jour, tu sais, poursuivit-elle en lui souriant d'un air sirupeux comme si elle était la grande sœur de la série télévisée *Père a raison*.

– Je serai *toujours* chevalier, et Sébastien aussi ! annonça

Corrie en se levant d'un bond. Tu ne sais pas ce que tu rates, Rose, en ayant quitté la Table ronde !

Elle sortit de la pièce en redressant la tête, aussi digne que possible, afin d'essayer de masquer les battements inquiets de son cœur.

12

Merlin

Sébastien quittait à présent la maison de bonne heure, rentrait juste avant le dîner et passait la soirée enfermé dans sa chambre. Rose avait obtenu un rôle dans la pièce de théâtre montée par son école et ne regagnait parfois la maison que lorsque tous étaient déjà endormis.

Durant la semaine, Corrie jouait de plus en plus souvent le rôle du chef de famille. Elle se chargeait de planifier les jours où, chacun son tour, ils devaient mettre la table, s'occuper des bains ou de la vaisselle. C'est elle qui envoyait les plus jeunes se coucher.

Comme Sébastien ne leur adressait plus la parole qu'à l'occasion des réunions de la Table ronde, Corrie essaya de choisir ce moment pour évoquer les problèmes de la vie quotidienne. Mais Sébastien refusa de les entendre.

– J'ai décidé que les questions d'ordre domestique n'avaient pas leur place à la Table ronde, déclara-t-il lorsque Corrie lui demanda d'augmenter l'argent de poche des jumeaux.

Il lui indiqua qu'elle pouvait récupérer la tirelire contenant l'argent, qui était jusque-là rangée dans sa chambre, et prendre elle-même la décision.

Mais comment pouvait-elle décider ? Et comment savoir s'il était convenable que Juliette aille déjeuner tous les midis chez son amie et comment trouver de nouvelles chaussettes pour Harry ? Juliette la suppliait de lui acheter des cartes pour la Saint-Valentin, mais Corrie n'avait pas assez d'argent.

Elle essaya de laisser des mots sur l'oreiller de Rose. Mais sa sœur déclara être trop prise par ailleurs pour s'occuper des petits. Rose confia à Corrie la tirelire destinée à l'achat de vêtements et lui dit d'acheter des chaussettes à Harry et quelques cartes de Saint-Valentin à chacun.

– C'est à ton tour de t'occuper d'eux, maintenant, annonça Rose à Corrie. Moi, j'en ai assez.

– Mais je n'ai que onze ans ! s'exclama Corrie.

– Tu es raisonnable, répondit Rose en souriant. Tante Madge l'a toujours dit. Tu t'en sortiras très bien.

C'était agréable à entendre. Mais devoir s'occuper de tout le monde empêchait Corrie de dormir la nuit. Elle annonça à Juliette qu'elle devrait rester à l'école durant l'heure du déjeuner.

– Mais toi, tu vas chez Meredith – ce n'est pas juste ! protesta sa petite sœur.

Corrie savait qu'elle irait de toute manière, alors elle céda après avoir argumenté quelques minutes de plus. Elle aurait un sandwich de moins à préparer.

Corrie enfourcha son vélo pour se rendre à Kerrisdale, où elle se procura des cartes de Saint-Valentin pour chacun. Acheter des chaussettes, cependant, lui parut si compliqué qu'elle fouilla dans les tiroirs de Sébastien et trouva quelques paires pour Harry. Elle décida d'augmenter leur argent de poche à tous de cinq *cents*. À présent, les deux tirelires la regardaient fixement, posées sur sa commode, comme deux professeurs lui rappelant ses responsabilités.

Une fois cette série de problèmes résolue, de nouvelles difficultés se présentèrent. Tout d'abord, l'Éléphant annonça à Corrie qu'elle démissionnerait si Othello continuait à lui apporter des souris mortes. Orly avait involontairement cassé l'une des maquettes d'Harry qui, en représailles, l'avait pincé. Enfin, un courrier annonça que les jumeaux devaient se rendre chez le dentiste.

Corrie rappela à Harry que les chevaliers étaient tenus d'être gentils.

– Je ne suis pas encore chevalier, rétorqua Harry d'un ton maussade, et Orly est casse-pieds. Tu ne peux pas l'empêcher de venir dans ma chambre ?

Corrie lui donna de l'argent pour s'acheter un cadenas. Elle découvrit des souricières dans l'atelier et demanda à Meredith de l'aider à les installer.

Comme elle aurait aimé confier ses préoccupations à Meredith ! Mais son amie aurait pu en parler à sa mère et Mme Cooper risquait de prévenir Père. Corrie se refusait à le déranger. L'échéance du livre approchait, et il avait besoin qu'on le laisse tranquille. Il ne remarqua rien de particulier, notamment parce qu'ils continuaient tous de se réunir le dimanche. Corrie chérissait plus que jamais ce jour où la paisible routine masquait l'agitation qui régnait sous la surface.

Le printemps, au moins, fut aussi prévisible et apaisant qu'à l'accoutumée. Vigile, le cerisier préféré de Corrie, était couvert de fleurs roses et charnues. Avec ses jonquilles et ses tulipes, le jardin était une masse confuse de tons pastel. Les fleurs

181

favorites de Corrie étaient les jacinthes musquées ; leurs minuscules clochettes cliquetaient lorsqu'on les frottait les unes contre les autres.

Le temps était si doux que Corrie remisa ses jupes en laine. À sa grande surprise, ses robes de coton de l'année passée étaient devenues trop petites. Elle découvrit dans la penderie de Rose deux vieilles robes qui lui allaient, l'une bleu délavé et l'autre jaune. Ses chaussures étaient elles aussi désormais trop justes.

Elle aurait pu piocher dans la tirelire réservée aux vêtements pour s'acheter une nouvelle paire, mais elle avait trop peur de prendre le bus et de se rendre en ville toute seule. Alors Mme Cooper les emmena, Meredith et elle, au centre commercial d'Oakridge. Elle les aida à choisir des ballerines bicolores. Puis elle tenta d'acheter à Meredith une nouvelle robe à manches bouffantes. Meredith, néanmoins, surprit à la fois sa mère et Corrie en réclamant une robe chemisier.

– Mais c'est pour les jeunes filles plus âgées, ma chérie, s'étonna Mme Cooper.

Corrie regardait avec horreur la robe ample de couleur verte. On aurait dit un sac ! Et si son amie commençait à s'intéresser aux vêtements, comme le groupe des Cinq ?

– *S'il te plaît*, Maman, supplia Meredith. J'en ai plus qu'assez d'être habillée comme une petite fille !

Mme Cooper céda et, le lendemain, Meredith arbora fièrement sa robe neuve à l'école. Elle était la première de l'établissement à en porter une ainsi ; ce geste la libéra définitivement de son statut de nouvelle de la classe.

M. Zelmach les laissait jouer au baseball les après-midi où il ne pleuvait pas. Corrie ne s'était jamais beaucoup intéressée à ce sport. Mais, à présent, elle s'apercevait qu'elle était douée pour le baseball. En se concentrant, elle frappait la balle si fort qu'elle réussissait souvent un « circuit ». C'était grisant de faire le tour des bases à toute allure sous les cris d'encouragement. Elle parvenait aussi à rattraper la balle d'un grand coup. Meredith et elle s'entraînaient dès qu'elles le pouvaient.

– Tu es trop forte ! admira Meredith, en général affectée au champ.

– J'aimerais bien avoir un gant à moi, répondit Corrie.

Celui de Meredith était trop petit pour elle.

– Pourquoi tu n'en demandes pas un à ton père ? suggéra son amie.

Corrie réfléchit à la question. Il ne serait pas correct de se servir dans l'une des tirelires. Elle n'avait jamais demandé à son père de lui acheter quoi que ce soit, mais pourquoi pas ?

Elle attendit la fin du dîner. En frappant à la porte du bureau et en pénétrant dans la pièce encombrée, elle se sentit trop timide pour parler. Mais l'expression bienveillante de son père, qui la regardait à travers ses sourcils broussailleux au-dessus de ses textes, l'aida à se détendre.

– Tiens, Cordelia, quel plaisir de te voir ! lança Père, comme s'ils ne venaient pas tout juste de dîner ensemble. Assieds-toi, ma chère enfant. Que puis-je faire pour toi ?

Corrie dégagea un tas de papiers posés sur une chaise et s'assit en face de son père.

– Je me demandais si vous pourriez me donner de l'argent pour une chose dont j'ai envie, lui demanda-t-elle.

– Et qu'est-ce donc que cette chose ?

– Un gant de baseball. Toutes les élèves de ma classe en ont un, alors que moi, je dois emprunter celui de Meredith.

Père parut complètement perdu :

– Qui est Meredith ?

Corrie reprit depuis le début. Elle rappela à son père que Meredith était sa meilleure amie, réalisant avec stupéfaction qu'il ne l'avait jamais rencontrée. Elle lui expliqua qu'elles s'entraînaient toutes deux au baseball presque tous les jours.

– De mon temps, on jouait au cricket, répondit Père en souriant. Sais-tu que le cricket remonterait à l'époque des Normands ? Les bergers y jouaient avec de la laine de mouton agglomérée. Le baseball est beaucoup plus récent. Il trouve sans doute son origine dans le jeu anglais des *rounders*[1].

Corrie écoutait attentivement. Père était semblable à Merlin, plein de savoir. Comme c'était agréable d'avoir pour elle seule toute son attention. Elle commença à lui raconter qu'elle espérait jouer arrêt-court la semaine prochaine, mais son père jetait des regards impatients vers son manuscrit.

– Cordelia, ma chère enfant, je suis ravi de te voir, mais je dois retourner à mon livre.

Corrie avait presque oublié pourquoi elle était venue.

– Je peux acheter mon gant de baseball, alors ? demanda-t-elle.

– Bien sûr ! Achète-t'en un, et j'espère qu'on te choisira au poste d'arrêt-court, répondit Père avant de saisir son stylo pour se pencher à nouveau sur son travail.

– Mais j'ai besoin d'argent pour l'acheter, insista Corrie. Je

_____

1. Ancêtre irlandais du baseball.

ne veux pas me servir dans les tirelires parce que l'argent est destiné à nous tous.

Père releva une nouvelle fois la tête :

– Bien entendu, tu as besoin d'argent ! Suis-je bête ! De combien as-tu besoin ?

– Le gant le moins cher que j'ai vu coûte un dollar cinquante.

Père sortit un vieux portefeuille en cuir de la veste suspendue à sa chaise. Il contourna avec précaution plusieurs piles de livres posées sur le sol et tendit trois dollars à Corrie.

– Ne prends pas le moins cher – choisis-en un qui durera. C'est ce que ta mère disait toujours. Et garde la monnaie.

– Merci, Père !

Il l'embrassa sur le front.

– Tu sais, tu ressembles de plus en plus à ta chère mère, observa-t-il en s'appuyant contre l'angle du bureau.

– C'est vrai ? s'étonna Corrie.

– Tout à fait. Dis-moi, Cordelia, comment se porte la famille ? Est-ce que tout va bien ? Je ne vous accorde sans doute pas assez d'attention.

– Vous l'avez fait lorsque les jumeaux étaient malades, lui rappela Corrie.

– Oui, et c'était terriblement épuisant ! Cela m'inquiète de vous laisser tout le temps les tâches pénibles. Tu es certaine que vous vous en sortez ?

Comment pouvait-elle faire part à Père de toutes ses préoccupations ? Le comportement étrange de Sébastien, les nombreuses absences de Rose, la difficulté à contenir les plus petits, la solitude et les soucis liés à ses nouvelles responsabilités, le fait que tante Madge lui manquait tant...

C'était impossible : son père avait besoin de tranquillité pour achever son livre.

– Nous allons bien, marmonna-t-elle.

– Tu en es certaine ? Est-ce que Sébastien va bien ? J'ai remarqué qu'il se conduisait de manière assez étrange ces derniers temps, comme s'il était perdu dans son propre univers. Je m'inquiète pour lui, tu sais. Il ressemble à Icare : il vole trop près du soleil.

– Icare ?

– C'est un personnage de la mythologie grecque, mon enfant.

Père se leva, parcourut des yeux ses étagères pleines à craquer et en retira un livre.

– Tiens, tu pourras te renseigner sur Icare dans ce livre. Madge est inquiète, elle aussi, pour Sébastien... parce qu'il fait encore semblant d'être un chevalier. Peut-être qu'il prend ce jeu trop à cœur. Ça l'a aidé après la mort de Molly – il avait besoin de s'évader. Mais Madge estime que Sébastien fuit la réalité, poursuivit Père en soupirant. Je ne sais pas quoi penser. Nous la fuyons tous. « Le genre humain supporte mal la réalité », comme disait T.S. Eliot.

Corrie poussa elle aussi un soupir. Elle avait souvent du mal à suivre le discours de Père. Les paroles qu'il prononça ensuite la laissèrent perplexe :

– Madge dit que je devrais convaincre Sébastien d'arrêter ce jeu, continua-t-il en la regardant avec davantage d'attention. Qu'en penses-tu, Cordelia ? Devrais-je lui parler ? Non que je croie que cela puisse être utile. Sébastien ne va pas abandonner son monde imaginaire juste parce que je le lui demande. Il vaut certainement mieux le laisser s'en lasser à son propre rythme, tu ne crois pas ?

186

Corrie aurait préféré que son père ne s'adresse pas à elle comme si elle était plus âgée, alors qu'elle rêvait de s'asseoir sur ses genoux comme autrefois. Elle ne savait quoi répondre : devait-elle le rassurer ou lui avouer que son frère était à présent obsédé par ce jeu de manière effrayante ?

– Je ne sais pas, murmura-t-elle. Mais vous avez sans doute raison. Vous ne pouvez pas l'empêcher de faire semblant.

Comment lui dire que Sébastien paraissait ne plus faire semblant ?

Cependant, si son frère arrêtait la Table ronde, ils seraient tous obligés d'en faire autant.

– Je pense que Sébastien doit faire ce dont il a besoin. Il a toujours été si sensible, si émotif. « Un noble et parfait chevalier », voilà ce qu'il est.

Ces paroles la remplirent de soulagement. Un noble et parfait chevalier...

– J'aime bien cette expression, commenta Corrie. Elle vient d'un livre ?

– Des *Contes de Canterbury* de Chaucer. Tu le liras lorsque tu seras à l'université. C'est écrit dans la langue du Moyen Âge.

Père retourna à son bureau et griffonna quelques mots sur un bout de papier qu'il tendit à Corrie. Elle sourit devant leur étrangeté : « Il estoit un gent et preux chevalier. »

Père sourit également :

– J'ai une bonne traduction que tu comprendrais, dit-il en se relevant pour aller chercher un livre peu épais. Ça te plairait : ce sont des histoires racontées par un groupe de pèlerins.

– Ça a l'air très intéressant, répondit Corrie enthousiaste.

Elle se demanda combien de temps elle réussirait à prolonger la conversation.

– Père, commença-t-elle. Est-ce que vous croyez à la réincarnation ?

– Quelle question intéressante ! fit-il en riant. Et toi, tu y crois ?

– Je ne sais pas. Mais je connais quelqu'un qui y croit.

Père parut mélancolique.

– J'aimerais croire que les gens reviennent après leur mort. Peut-être que c'est le cas lorsqu'un proche leur ressemble, comme toi qui me rappelles parfois ma mère.

– C'est ce que prétend tante Madge. Mais vous venez de dire que j'étais comme Maman !

– Tu ressembles à Molly. Mais tu as davantage le caractère de ta grand-mère. Juliette est plus comme Molly, de nature fougueuse. Mais non, Cordelia, moi, je ne crois pas qu'une personne puisse se réincarner en une autre. Malheureusement, lorsque quelqu'un disparaît, il disparaît à jamais.

Allait-il se mettre à pleurer ? Non. La souffrance sur le visage de son père se transforma en un sourire.

– Nombreux sont ceux qui croient à la réincarnation, cette notion se retrouve dans toutes les religions. Il existe beaucoup de livres qui traitent de ce sujet.

– Puisque beaucoup de gens y croient, est-ce que ça signifie que la réincarnation existe ou que ceux qui y croient pensent qu'elle existe ?

– Tu deviens une vraie philosophe, Cordelia ! La réincarnation existe de la même manière que la religion existe. C'est juste que cela n'existe pas pour tout le monde, pas comme le soleil qui se lève et qui est bien réel. Est-ce que cela t'aide ?

– Un peu.

– Très bien. Tiens, je vais te prêter un livre sur les religions orientales dans lequel tu pourras trouver des renseigne-ments.

Il prit un autre livre et Corrie l'ajouta à sa pile.

Les livres étaient toujours la réponse de son père aux questions difficiles. Elle voulait bien croire à leur utilité, mais elle aurait préféré qu'il lui apporte des réponses immédiates.

Cette fois, Père regagna pour de bon son bureau.

– C'était un plaisir de bavarder avec toi, Cordelia. À présent, je dois vraiment reprendre mon travail. Mais reviens me voir – nous ne parlons pas assez, toi et moi. Et préviens-moi si quelque chose ne va pas, d'accord ? Promis ?

– C'est promis, répondit-elle avec un large sourire.

Elle sortit discrètement de la pièce en se sentant plus légère que lorsqu'elle était entrée. Et elle allait avoir son gant de baseball !

Ce soir-là, Corrie s'efforça de lire quelques pages du livre sur la réincarnation. Puis elle observa la lune par la fenêtre et fit de son mieux pour se concentrer.

Elle comprenait combien la réincarnation pouvait être une croyance rassurante. Elle comprenait même que cela puisse être possible, de la même manière qu'il était possible que Jésus ou Bouddha aient existé. C'était plus réel que de faire semblant, plus réel que le Père Noël ou la Table ronde, qui étaient juste imaginaires.

Lorsqu'elle faisait semblant d'être Gareth, elle y croyait dur comme fer durant tout son jeu. Mais elle n'était pas Gareth à chaque instant de la journée, et n'était certainement pas sa réincarnation.

Lancelot s'était-il réincarné en Sébastien ? Jennifer était-elle

189

vraiment Guenièvre ? Évidemment pas, décida Corrie. Sébastien croyait peut-être à la réincarnation. Il n'y avait pas de mal à cela. C'était la même chose que de réciter le Credo à la messe.

Corrie réfléchit plus attentivement encore. Si la réincarnation existait, les gens qui mouraient ne pouvaient certainement pas le prévoir. C'était là la faille dans le raisonnement de Sébastien, qui pensait être Lancelot et prenait Jennifer pour Guenièvre. C'est ce qu'il souhaitait, donc il y croyait. Mais l'idée que Lancelot et Guenièvre se soient réincarnés en deux adolescents fréquentant la même école était trop belle, trop pleine de coïncidences.

Corrie réfléchissait si fort que, une fois couchée, elle dut faire une liste dans sa tête pour mettre de l'ordre dans ses idées.

1. L'existence de la réincarnation n'était pas impossible. Comment pouvait-elle contester ce à quoi des millions de gens croyaient ? L'idée était si séduisante qu'elle-même y croirait peut-être un jour.

2. Néanmoins, Sébastien n'était pas la réincarnation de Lancelot et Jennifer n'était pas Guenièvre. Ce n'était que le fruit de l'imagination de Sébastien, un prolongement du rêve d'être un chevalier qu'il nourrissait depuis des années. En se disant qu'il s'agissait de réincarnation, cela l'aidait à rendre son rêve réel.

3. C'était la partie la plus difficile : est-ce que tout cela était bon pour Sébastien ? Corrie l'ignorait. Elle voulait qu'il soit heureux. Il était normal que les adolescents tombent amoureux, et Sébastien avait besoin d'une alliée à l'école. Peut-être que tant qu'il n'en parlait pas à Jennifer, il n'y avait pas de mal à ce qu'il imagine tout cela.

190

Corrie ne pouvait plus réfléchir davantage. C'était trop difficile. Elle s'endormit en essayant de décider quelle sorte de gant de baseball elle achèterait.

Meredith demanda à son père de les emmener dans un magasin d'articles de sport. Corrie choisit un superbe gant tout neuf en cuir doré qui dégageait une bonne odeur de terre. Le jour suivant, elle fut choisie pour jouer arrêt-court. Son nouveau gant lui porta chance, elle en était certaine, parce qu'elle rattrapa la balle chaque fois.

Après le jeu, tous s'affalèrent sur l'herbe pendant que M. Zelmach leur lisait un poème intitulé *Casey at the Bat*[1].

Jamie était assis à côté de Corrie.

– Tu as super bien joué, lui murmura-t-il.

Surprise, Corrie lui sourit. Le soleil la réchauffait et faisait briller ses nouvelles chaussures. Le printemps était déjà là, et tout semblait de nouveau possible.

---

1. *Casey à la Batte*, poème mi-lyrique mi-satirique sur le baseball d'Ernest Lawrence Thayer, écrit en 1888.

13

Jennifer

Au grand soulagement de Corrie, Sébastien proposa d'emmener les jumeaux chez le dentiste.

– Pourquoi tu ne viens pas avec nous ? lui demanda-t-il.

Corrie accepta avec enthousiasme. Pendant tout le trajet, les quatre frères et sœurs prétendirent que le bus était un dragon. Le bruit qu'il faisait donnait véritablement l'impression qu'il franchissait le pont en crachant.

Les jumeaux étaient blottis de chaque côté de Sébastien qu'ils tiraient sans cesse par le bras.

Corrie comprit que leur frère aîné leur avait autant manqué qu'à elle-même.

– Est-ce que les chevaliers tuaient des dragons ? interrogea Orly.

– Poufrendaient, reprit Juliette. Les chevaliers poufrendaient les dragons, c'est ça, Sébastien ?

– Tu as raison, maître Jules, approuva Lancelot, mais le mot exact est « pourfendaient », pas « poufrendaient ». Messire Tristan pourfendit un dragon et lui trancha la langue, raconta-t-il à Orly.

– Génial ! s'exclama Orly. Est-ce que je pourrai être Tristan lorsque je deviendrai chevalier ?

– Nous verrons cela.

– C'est moi qui veux être Tristan ! s'écria à son tour Juliette.

Orly lui tira les cheveux :

– Tu ne pourras pas ! C'est moi qui l'ai dit en premier !

– Aucun d'entre vous ne deviendra chevalier si vous n'arrêtez pas de vous disputer, trancha Sébastien sans s'énerver.

Corrie se sentait infiniment soulagée qu'il prenne de nouveau les choses en main.

Orly entra le premier dans le cabinet du dentiste. Corrie écouta Juliette déchiffrer avec fierté le texte d'un magazine ; elle lisait sans difficulté depuis plus d'un mois à présent et était la première fillette de sa classe à y parvenir. Puis vint le tour de Juliette d'être appelée pour son examen dentaire. Corrie montra à Sébastien une publicité représentant un dessin de chevalier.

– Ils ont oublié ses rouelles, fit-il remarquer.

– C'est quoi des rouelles ? l'interrogea Corrie sur un ton enjoué.

Sébastien paraissait beaucoup plus présent aujourd'hui. Il en avait peut-être terminé avec son comportement distant.

Alors qu'il s'apprêtait à lui répondre, la porte s'ouvrit et une jeune fille brune entra. Il bondit sur ses pieds :

– Jenny !

– Salut, Seb, répondit Jennifer. Alors comme ça, nous avons le même dentiste !

– Euh... je te présente ma sœur Corrie, marmonna Sébastien.

Les mots se bousculèrent dans sa bouche et, lorsqu'il fut de nouveau assis, il ne cessa de tortiller sa chemise.

– Salut, répondit Jennifer en souriant.

Du moins, ses lèvres souriaient, mais ses yeux vert-de-gris se plissèrent tandis qu'elle observait froidement Corrie.

Elle ne m'aime pas, se dit Corrie. Elle comprit immédiatement qu'elle non plus n'appréciait pas Jennifer. *Elle ressemble à... à un serpent, comme le long serpent formé par ses cheveux bruns tressés.* Un serpent glissant qui s'enroulait tout autour de son frère.

Jennifer s'assit à côté de Sébastien, beaucoup trop près. Quelques minutes auparavant encore, Corrie avait toute l'attention de son frère. À présent, il l'ignorait.

– Tu as mal aux dents, Sebbie ?

Sebbie ! Corrie lança un regard furieux à Jennifer.

– Non, c'est simplement les jumeaux qui avaient rendez-vous. Nous les attendons. Et toi alors ? demanda Sébastien d'une voix douce.

– Oh, je viens juste pour un contrôle.

Sébastien la regardait comme si ces propos ordinaires étaient de la poésie.

– En quelle classe es-tu, Corrie ? interrogea Jennifer.

La réponse ne l'intéressait pas vraiment ; elle posait juste la question pour faire plaisir à Sébastien.

– En 6ᵉ année, marmonna Corrie.

Jennifer n'avait même pas écouté. Elle s'était retournée vers Sébastien. Tous deux se comportaient comme si Corrie n'était pas là.

Orly sortit en caracolant, un petit moulinet à la main.

– Aucune carie ! s'enorgueillit-il. (Il dévisagea Jennifer.) T'es qui, toi ?

– Voici Jennifer, lui répondit Sébastien.

– Et tu dois être le petit frère de Seb ! Il m'a raconté plein de trucs super sur toi. Je peux essayer ton moulinet ? poursuivit Jennifer qui en rajoutait.

Elle souffla sur la petite roue et Orly afficha un large sourire.

L'infirmière appela Jennifer, qui pressa la main de Sébastien avant de pénétrer dans le cabinet. Sébastien et Orly, comme ensorcelés, la suivirent tous deux du regard.

Juliette réapparut, elle aussi un petit moulinet à la main. Soulagée, Corrie était prête à partir. Mais Sébastien hésitait :

– Corrie, crois-tu que tu pourrais ramener les jumeaux à la maison toute seule ? Je vais attendre Jennifer.

– Mais je n'ai jamais pris le bus toute seule !

– Tout ira bien. Je vais vous raccompagner à l'arrêt. Guette le numéro 20 – il est direct jusqu'à Granville. Vous n'avez qu'à descendre à l'arrêt situé en face de l'église.

Corrie était tiraillée. Ce serait une véritable aventure de prendre ce bus, mais elle ne voulait pas laisser Sébastien seul avec cette fille. Pourtant, qu'est-ce que cela pourrait changer ? Ils se voyaient de toute façon tous les jours à l'école.

– Jennifer est très jolie ! commenta Orly une fois dans l'ascenseur.

– C'est qui Jennifer ? interrogea Juliette.

– C'est la petite amie de Sébastien, non ? demanda Orly.

Juliette resta bouche bée :

– Tu as une *petite amie* ?

– Oui, répondit doucement Sébastien. Et vous savez quoi, Juliette et Orly ? C'est la réincarnation de Guenièvre !

Les jumeaux le regardaient avec de grands yeux ronds.

– Ah bon ?

– Oui ! Jennifer est la réincarnation de Guenièvre.

196

– La réin-quoi ?

– Réincarnation. Je vous expliquerai un autre jour.

Lorsqu'ils atteignirent l'arrêt de bus, Sébastien donna un peu d'argent à Corrie.

– À plus tard ! lança-t-il avant de regagner l'immeuble à grandes enjambées.

Debout à l'arrêt de bus, Corrie tenta de se concentrer pour repérer le numéro 20. Les jumeaux l'aidèrent et s'écrièrent « Le voilà ! » lorsque le véhicule apparut. Ils montèrent les marches et Corrie déposa avec soin l'argent dans la caisse. Elle leur choisit une place dans le fond. Les gens leur souriaient et elle se sentit fière d'être suffisamment digne de confiance pour emmener ses plus jeunes frère et sœur toute seule en bus.

Lorsqu'ils furent bien installés et qu'Orly et Juliette furent occupés à regarder par la vitre, Corrie se laissa enfin aller à penser à Jennifer.

Elle la détestait. Elle détestait sa façon de minauder devant son frère, en faisant semblant d'être gentille avec Orly uniquement pour plaire à Sébastien. Elle était dangereuse, c'était un serpent tout noir et venimeux qui avait jeté un sort à son frère. Elle détestait surtout le fait que Sébastien lui accorde davantage d'attention qu'à elle – sa sœur préférée !

Corrie se sentait si angoissée qu'elle ne fut pas même fière lorsqu'ils approchèrent de l'église ; elle tira sur la corde à temps pour leur arrêt.

– Tu sais ce que ça veut dire, toi, réin-quelque chose ? lui demanda Juliette alors qu'ils descendaient la rue.

Corrie lui expliqua brièvement ce qu'était la réincarnation :

– Alors Sébastien pense que la Guenièvre des histoires du roi Arthur revit dans le corps de Jennifer, conclut-elle.

– Génial ! s'exclama Orly.

– Est-ce que ça veut dire que Lancelot est revenu et s'est transformé en Sébastien ? interrogea Juliette.

– Non ! s'écria Corrie d'une voix si forte qu'ils s'arrêtèrent net et la dévisagèrent.

– Écoutez-moi, tous les deux, poursuivit-elle. Sébastien qui serait Lancelot et Jennifer Guenièvre, toute la Table ronde... tout ça, c'est de la pure invention ! Ce n'est pas vrai ! Sébastien n'est pas vraiment Lancelot et Jennifer n'est certainement pas Guenièvre. Je ne suis pas Gareth et vous n'êtes pas réellement des pages.

– Bien sûr que si ! hurla Orly.

– Tu mens, Corrie, ajouta Juliette. Orly et moi, on est des pages et bientôt, on sera des écuyers puis des chevaliers. Je serai messire Tristan et Orly sera Bohort ou un autre. Et Sébastien *est* Lancelot !

– Et Jennifer Guenièvre ! ajouta Orly d'un ton ferme. Elle est belle, exactement comme Guenièvre dans les histoires. De toute façon, c'est Sébastien qui l'a dit !

– Tu mens ! s'exclama de nouveau Juliette.

– Je suis désolée, leur dit Corrie. Vous comprendrez plus tard.

Les jumeaux lui lancèrent des regards furibonds avant de se mettre à courir tout le long du chemin.

Corrie les suivait lentement, préférant ne pas croire ses propres paroles. Lorsqu'elle-même avait six ans, elle avait passé des mois à se prendre pour Pookie. Personne dans la famille n'avait deviné qu'elle avait des ailes et vivait de nombreuses aventures en s'envolant de par le monde. Elle n'avait pas *fait semblant* d'être Pookie – elle *était* Pookie.

À présent, elle n'arrivait plus à se plonger complètement

dans un autre univers. Corrie était de plus en plus consciente qu'il s'agissait juste de faire semblant ; elle perdait peu à peu cette forme de magie qu'elle ne retrouverait pas.

Mais je ne veux pas perdre cette magie ! pensa-t-elle. Son bon sens lui commandait pourtant d'y renoncer. Sébastien se disait-il la même chose ?

Plus tard ce soir-là, Corrie frappa à la porte de son frère.

– Je peux te parler ? demanda-t-elle.

– Bien sûr ! C'était vraiment super de rencontrer Jennifer comme ça, non ? Elle t'a plu ?

Que pouvait-elle répondre ? Il serait tellement déçu si elle lui avouait la vérité.

– Elle est sympa, marmonna-t-elle. Mais j'ai l'impression qu'elle ne m'aime pas.

– Bien sûr que si ! Je parle souvent de toi – elle sait que nous sommes très proches.

C'était peut-être la raison pour laquelle Jennifer ne l'aimait pas. Peut-être que, comme elle-même, elle n'avait pas envie de partager Sébastien.

Il n'y avait rien qu'elle puisse faire à propos de Jennifer et elle. Corrie était surtout inquiète pour son frère.

– Tu crois *vraiment* que Jennifer est la réincarnation de Guenièvre ? l'interrogea-t-elle.

Le regard de son frère se fit tout à coup très intense.

– Ça paraît bizarre, mais oui, je le pense vraiment ! Je ressens cela depuis la première fois que je lui ai parlé. Nous sommes faits pour être ensemble – comme deux âmes sœurs.

– Parce que... parce que tu es vraiment Lancelot ? souffla Corrie.

199

Sébastien hocha la tête d'un air grave.

– Je pense que tu me prends sans doute pour un fou, mais sinon pourquoi me sentirais-je autant attiré par lui depuis toutes ces années ? Et pourquoi continuerais-je la Table ronde ? Ce n'est pas facile à admettre, mais Rose a raison. Il n'y a pas de mal à jouer aux chevaliers à ton âge, mais à quinze ans on est trop grand. Sauf que je ne joue pas ! Vous, oui – c'est juste un jeu pour vous. Mais pour moi, c'est la réalité. Je n'ai pas le choix.

– Mais Sébastien...

Que pouvait-elle bien répondre ? Elle pesait chacun de ses mots, comme si elle tentait d'expliquer quelque chose à Orly.

– Sébastien, écoute-moi. Je ne suis pas d'accord avec toi. J'ai lu des textes sur la réincarnation et ça peut éventuellement se produire. Mais je ne crois pas que ça te soit arrivé à toi. Tu n'es pas Lancelot et Jennifer n'est pas Guenièvre. Ce n'est pas bon pour toi d'imaginer cela.

– C'est difficile à comprendre, lui répondit Sébastien en souriant. Tu n'es pas obligée de me croire, mais c'est vrai. Et je vais très bien – je ne me suis jamais senti aussi heureux.

– C'est parce que tu es amoureux ! s'exclama Corrie. On se sent toujours heureux quand on est amoureux – du moins c'est ce qu'on entend dans les films et les chansons.

Sébastien se mit à rire :

– Oui, je suis amoureux ! Mais c'est plus que ça. Je deviens vraiment moi-même et Jennifer aussi.

– Mais que va-t-il se passer ? Comment pouvez-vous être Lancelot et Guenièvre *aujourd'hui*, en 1958 ?

– Je ne sais pas ce qu'il va se passer, avoua Sébastien en haussant les épaules. Notre véritable moi nous le dira. (Il fit pivoter

200

sa chaise derrière son bureau.) Maintenant, Gareth, il me reste beaucoup de choses à étudier, vous feriez mieux de me laisser. Ne vous inquiétez point pour moi, je vous prie.

Corrie quitta rapidement la pièce. Elle se précipita dans sa chambre, ferma la porte et se réfugia sur l'appui de fenêtre. Dans le jardin, les arbres se balançaient avec le vent, qui pénétrait dans la pièce par l'ouverture de la fenêtre. Corrie prit son édredon et l'enroula soigneusement autour d'elle pour cesser de trembler.

Sébastien semblait intimement persuadé qu'il était Lancelot et Jennifer Guenièvre. Devait-elle prévenir Père ? Que pourrait-il faire ? Il risquait de simplement répéter que Sébastien était cet Icare et qu'il fallait attendre qu'il quitte à son rythme son univers imaginaire.

Peut-être que tout irait bien. Peut-être que Sébastien dévoilerait bientôt ses convictions à Jennifer et que celle-ci se moquerait de lui – Corrie entendait déjà son rire narquois pareil à celui d'une sorcière. Alors ils rompraient. Sébastien serait très malheureux, mais il s'en remettrait. Corrie pouvait le consoler.

Sébastien abandonnerait également ces convictions étranges. Tout redeviendrait comme avant : ils continueraient à être des chevaliers, mais Sébastien ferait juste semblant, comme autrefois.

Corrie se mit en pyjama, prit Pookie avec elle et se blottit dans son lit. Elle essaya d'être Gareth allongé sur sa paillasse dans la grande salle de Camelot après le festin de la veille, son fidèle lévrier à ses côtés et son épée à portée de main.

– Écoutez ! murmurait Gareth à Perceval. N'entendez-vous pas quelque bruit de l'autre côté des murailles ?

Elle imaginait les deux chevaliers sortir en rampant au clair de lune et tomber sur un ennemi qui tentait de s'introduire dans le château. Ils saisirent leur épée et l'autre s'enfuit.

Une partie d'elle-même se regardait en train de faire semblant. Mais au moins la magie n'avait-elle pas entièrement disparu.

14

Robin des Bois et Petit Jean

Mme Cooper invita la famille Bell au grand complet à venir déjeuner chez eux le jour de Pâques. Lorsque Corrie transmit l'invitation à son père, celui-ci répondit :

– Ma chère enfant, remercie-la, veux-tu, mais tu sais que nous allons toujours à l'hôtel Vancouver pour le déjeuner de Pâques.

Corrie se sentit soulagée. Elle imaginait mal mêler sa famille à celle de Meredith. De quoi auraient pu parler son père et les Cooper ? Ils n'avaient rien en commun. M. Cooper lui avait avoué, en apprenant quelle matière enseignait Père, combien il avait trouvé Shakespeare ennuyeux à l'école.

Les cloches de Pâques déposèrent leurs traditionnels gros paniers de surprises en chocolat dans l'entrée. Othello mangea un œuf encore enrobé de papier aluminium avant de tout rendre sur le lit d'Harry. Corrie se sentit elle aussi barbouillée après avoir grignoté les deux oreilles de son lapin.

– Si seulement vous pouviez venir déjeuner ! lui dit Meredith après la messe.

Corrie regrettait maintenant que son père ne se montre pas plus sociable. Elle se souvenait vaguement combien la maison

203

s'animait lors des visites des amis de ses parents, des amis qui évoquaient avec passion les livres et les arts, et qu'elle entendait rire et danser alors qu'elle était couchée depuis longtemps. Père n'avait invité personne depuis la mort de Maman. Il se contentait de ses livres, de ses cours et de sa famille.

Père et Harry passèrent une grande partie du déjeuner à parler de l'énorme explosion qui s'était produite la veille près de Vancouver, lorsqu'on avait fait sauter Ripple Rock.

– C'est la plus grosse explosion non atomique de l'histoire ! s'exclama Harry avec fierté.

– Mais pourquoi l'ont-ils fait exploser ? demanda Juliette.

Père expliqua que cette montagne sous-marine avait provoqué de nombreux accidents de bateaux au fil des années.

Rose écoutait patiemment les devinettes d'Orly et Sébastien rêvassait comme à l'accoutumée. Corrie jouait avec sa tranche de rosbif trop cuit. Elle se demandait ce que les Cooper avaient au menu.

Pendant les vacances de Pâques, Sébastien organisa tous les jours une réunion de la Table ronde. Ils se retrouvaient à Joyeuse Garde, désormais achevée : c'était un vaste fort fait d'un entrelacs de branches avec un toit en toile et une couverture en guise de porte. La construction était invisible depuis la clairière.

Ils s'étaient bien amusés à bâtir le fort, mais maintenant qu'il était terminé, ils devaient y rester assis des heures, à écouter Sébastien leur faire la lecture. Corrie tentait d'être attentive, mais il était très pénible d'être privée du soleil dans cet espace obscur. Les autres ne tenaient pas en place non plus.

– On peut faire un combat à l'épée ? demanda Juliette.

– Peut-être plus tard, maître Jules. À présent, écoutez bien le récit de la fois où Lancelot a sauvé Guenièvre.

Personne n'écoutait. C'était comme si Sébastien lisait pour lui tout seul.

– Qu'est-ce qui ne va pas chez vous ? les réprimanda-t-il lorsque les plus jeunes commencèrent à se pincer. Vous n'écoutez pas !

Corrie aperçut son teint soudain blême :

– Nous essayons, messire, répondit-elle. Mais l'écuyer et les pages ont du mal à rester assis sans bouger aussi longtemps.

– Très bien, vous pouvez tous sortir pour votre joute, leur dit-il en soupirant.

Les autres se précipitèrent à l'extérieur et Corrie essaya de sourire à son frère. Sébastien était de nouveau penché sur son livre.

Désormais, l'amitié de Meredith constituait l'unique réconfort de Corrie. Une fois les vacances achevées, elle prit l'habitude d'aller chez son amie le samedi, en plus des jours de la semaine, en s'y précipitant dès la fin de la réunion de la Table ronde.

Le premier samedi, Mme Cooper emmena Meredith et Corrie déjeuner en ville à l'hôtel Georgia. Elles se régalèrent de milk-shakes à la vanille et de deux éclairs au chocolat chacune. Après le repas, elles allèrent au musée et admirèrent des toiles d'Emily Carr. Corrie aimait se sentir appelée par les silhouettes sombres des arbres du tableau.

Mme Cooper les déposa au cinéma Orpheum où était projeté *Fidèle Vagabond* de Robert Stevenson. Lorsqu'elle revint les chercher, Meredith était en larmes.

– Je n'irai plus jamais, jamais, au cinéma, sanglotait-elle. C'était affreux ! Ce pauvre chien !

205

– Ma chérie, c'est juste une histoire ! la rassura Mme Cooper.

Mais Meredith pleura pendant tout le trajet de retour.

– Pourquoi est-ce que les films lui font toujours cet effet ? demanda sa mère à Corrie. Toi, tu sembles y avoir survécu. Peux-tu expliquer à Meredith la différence entre ce qui est vrai et ce qui ne l'est pas ?

Corrie secoua la tête. Si seulement elle en était capable... en particulier avec Sébastien.

Le samedi suivant, Corrie revêtit sa robe bleue, ainsi qu'un vieux chapeau de paille de sa mère retrouvé au fond d'un placard, car Meredith avait envie de jouer à « Anne... La Maison aux pignons verts[1] ».

Meredith était Diana. De toute évidence, elle se délectait de son rôle, faisant savoir à Corrie combien elle se réjouissait que toutes deux soient « amies de cœur ». Elle versa du vrai thé dans les tasses à soucoupe qu'elle avait disposées sur une table dans le jardin. Pashmina, qui appréciait le soleil à travers sa cage, s'entraînait à répéter inlassablement « salut, salut ». Meredith saisit les pinces à sucre :

– Un ou deux morceaux ? demanda-t-elle d'une voix affectée.

– Deux, s'il te plaît, marmonna Corrie.

Elle ne parvenait pas à entrer dans ce jeu idiot. C'était trop ennuyeux, sans intérêt. Au moins, les cookies de Mme Cooper étaient aussi bons que d'ordinaire. Elle leur rapporta du thé et les complimenta sur leurs chapeaux. Puis, dit-elle à Meredith, M. Cooper et elle s'absentaient pour quelques heures.

---

1. Série d'un auteur canadien parue en 1908 et qui a donné naissance à plusieurs films et séries télévisées.

– Si on jouait à autre chose maintenant ? proposa Corrie.

Meredith sembla déçue :

– Tu ne veux plus prendre le thé ? Je sais, nous pourrions boire du sirop de grenadine en imaginant qu'il s'agit de liqueur de framboise. Ensuite, je serais soûle, comme Diana dans le livre !

– On ne peut pas jouer à Robin des Bois ?

– Pourquoi pas... répondit Meredith d'un air indifférent.

Elles rapportèrent le service à thé dans la cuisine avant d'aller se changer à l'étage. Meredith prêta à Corrie un short et un T-shirt. Corrie était inquiète. Pourquoi son amie était-elle tout à coup si réticente à jouer à Robin des Bois ? Elle s'était montrée passionnée par ce jeu lorsqu'elles y avaient joué pour la première fois il y a quelques semaines. Corrie avait consacré beaucoup de temps au goûter ridicule de Meredith ; ne pouvait-elle pas avoir son tour maintenant ?

De retour dans le jardin, elles nettoyèrent le fort qu'elles avaient construit derrière le garage et ramassèrent les arcs qu'elles avaient fabriqués à l'aide de branches et de cordes. Elles avaient collé des plumes perdues par Pashmina sur les flèches de bambou dont le bout était recouvert de pointes en pâte à modeler.

Corrie était Robin des Bois :

– Eh bien, Petit Jean, es-tu prêt à te lancer à la poursuite des hommes du shérif ? demanda-t-elle.

À son grand soulagement, Meredith répondit correctement :

– Oui, Robin. Je crois avoir aperçu des traces sous l'arbre là-bas.

Le soleil tapait fort.

– Il fait trop chaud. Enlevons nos T-shirts ! suggéra Meredith.

Corrie était intimidée. Quand Meredith eut quitté son haut, elle fit toutefois de même. Chacune jeta à l'autre un coup d'œil furtif. Corrie était plus plate que Meredith, mais toutes deux commençaient à se développer. Elles étaient néanmoins encore loin d'avoir besoin d'un soutien-gorge, se dit Corrie. Une seule fille de la classe, Sharon, en portait un – elle avait passé toute une journée à s'en vanter.

Corrie mit un carquois en bandoulière et sortit du fort. Quel plaisir de sentir le soleil réchauffer le haut de son corps dénudé ! Elle tapota l'épaule de son amie :

– Petit Jean, tu entends ces voix ? Espionnons-les.

Cramponnées à leurs arcs, les jeunes filles rampèrent jusqu'au grillage et observèrent les voisins de Meredith à travers les interstices. Une femme était en train de désherber, de dos, pendant que son fils, un adolescent, tentait de la convaincre de lui prêter la voiture.

– Une flèche pourrait passer par l'un de ces trous, souffla Corrie.

Elle arma son arc et visa à travers le grillage.

– Tu ne vas pas faire ça, quand même ! gloussa Meredith.

– Bien sûr que non. Mais regarde comme ce serait facile.

Corrie tendit la corde aussi fort que possible et visa la tête du jeune homme.

– Je connais cet homme, Petit Jean. C'est le shérif de Nottingham en personne ! Si je vise bien, nous en aurons fini avec cet ignoble personnage.

– Vas-y, Robin des Bois ! Ce serait un exploit et tous les pauvres gens t'en remercieraient.

208

Corrie n'avait pas l'intention de décocher la flèche. Vraiment pas. Mais les paroles de Meredith avaient inexplicablement fait s'entremêler jeu et réalité. Et la flèche avait inexplicablement filé à travers l'ouverture.

Un cri horrible et puissant retentit.

– Oh, non ! Corrie, qu'est-ce que tu as fait !

Corrie se jeta à terre, tremblante de peur. L'avait-elle tué ? Irait-elle en prison ?

– Qu'est-ce que vous faites, là-bas ?

Un visage cramoisi et rageur apparut au-dessus du grillage :

– Vous vous rendez compte que vous avez touché mon chat ?

Les deux filles se relevèrent.

– Je suis terriblement dé... désolée, madame Patrick, bégaya Meredith. C'était juste un jeu. Est-ce que Boodles va bien ?

– Je n'en sais rien – il s'est enfui dans les taillis et Malcolm n'arrive pas à l'en faire sortir.

La femme leur jeta un regard furieux :

– Ça ne va pas bien, Meredith Cooper, de lancer des flèches à travers le grillage, non ? Tes parents sont là ?

– Ils sont sortis, répondit la jeune fille.

– Eh bien, à leur retour, ils entendront parler de tout ça. Se balader à moitié nue en essayant de blesser de pauvres chats... Vous êtes deux petites vandales !

– Nous sommes vraiment, vraiment désolées, ajouta Corrie la gorge serrée.

Mais Mme Patrick s'était éloignée d'un pas lourd.

Corrie et Meredith se précipitèrent dans la maison. Meredith remit son T-shirt et Corrie enfila de nouveau sa robe. Puis elles jetèrent des coups d'œil furtifs à travers les rideaux de la chambre de M. et Mme Cooper pour essayer de vérifier si le chat était indemne. Malcolm l'appelait toujours, une boîte de nourriture pour félins à la main. Enfin, un grand chat blanc et roux sortit des buissons d'un pas tranquille. Malcolm s'en empara et le ramena à l'intérieur.

– Il a l'air d'aller bien, fit Corrie. Oh, Meredith, et si je l'ai blessé ?

Elle en avait la nausée.

– Mais pourquoi as-tu laissé partir ta flèche ? lui demanda Meredith, le visage livide.

– Je ne sais pas, répondit Corrie d'un air malheureux. Tu m'as dit de le faire et je... je l'ai fait.

– Mais tu sais bien que je ne voulais pas dire de tirer pour de vrai !

– Je sais. Je ne sais pas ce qui m'a pris... répondit Corrie en baissant la tête.

Meredith s'assit à côté d'elle et lui tapota le dos d'un air embarrassé.

– Maman et Père vont être *très* en colère, dit-elle en faisant la moue.

Elles étaient assises dans la cuisine autour d'un verre de grenadine lorsque les parents de Meredith rentrèrent à la maison.

– Pourquoi faites-vous cette drôle de tête ? demanda M. Cooper en chatouillant sa fille sous le menton.

Meredith était incapable de répondre. Son père déposa un baiser sur ses cheveux et sortit les poubelles. La sonnerie du téléphone retentit.

Corrie et Meredith ne levèrent pas les yeux pendant que Mme Cooper écoutait la voix furieuse s'échappant du récepteur. Son visage affichait une surprise qui allait croissant.

– Elles ont fait quoi ? Il va bien ? Oui, je suis d'accord avec vous... Je vais leur parler... Très bien. Bonsoir.

Elle raccrocha et appela son mari pour qu'il les rejoigne dans la cuisine. Puis tout le monde s'assit.

– C'était Mme Patrick, les filles, dit-elle calmement. Pouvez-vous m'expliquer ce qui s'est passé ?

Corrie et Meredith firent leur récit d'une voix trébuchante. Meredith se mit à sangloter avant même qu'elles aient terminé.

– Vous rendez-vous compte à quel point il est dangereux de jouer avec des armes ? demanda M. Cooper, l'air grave. Vous auriez pu blesser quelqu'un, pas seulement un chat !

– Est-ce qu'il va bien ? murmura Corrie.

– Oui, apparemment le chat va bien, répondit la mère de Meredith, mais vous avez beaucoup de chance qu'il n'ait rien.

– Je vous interdis de rejouer à ce jeu, Meredith et Corrie, leur annonça M. Cooper d'un air sévère. Je veux vous voir détruire vos arcs et vos flèches, c'est compris ?

Elles hochèrent la tête.

– Vous êtes beaucoup trop grandes pour jouer aux jeux de garçon de toute façon, déclara Mme Cooper. Qu'est devenu votre charmant petit goûter ? Et Mme Patrick m'a dit que vous aviez enlevé vos T-shirts ! Vous ne pouvez plus faire ça à votre âge, vous savez – vous devenez toutes les deux des jeunes filles.

Elles durent aller s'excuser auprès de la voisine. Mme Patrick ne s'était pas radoucie. Elle se tint sur le pas de la porte en fulminant contre les deux amies, qui gardèrent la tête baissée. Ses paroles sèches étaient comme une pluie de cailloux tranchants.

Alors que Corrie rentrait chez elle en traînant les pieds, les propos beaucoup plus doux de Mme Cooper lui restaient tout

autant sur le cœur : « Des jeunes filles »... Beurk ! Des adoles-
centes écervelées, comme Rose et Jennifer ? Jamais elle ne
deviendrait comme elles !

Voilà qu'elles étaient maintenant privées d'un de leurs jeux
secrets. C'était sa faute, bien entendu, mais elle se sentait
néanmoins trahie, comme si les adultes les avaient obligées à
détruire bien plus que leurs arcs et leurs flèches.

15

La folie

À mesure que ce long printemps devenait plus verdoyant et odorant, l'univers de Corrie s'assombrissait. Meredith n'avait brusquement plus envie de jouer à faire semblant.

– Je sais que nous ne pouvons plus être Robin des Bois ni Petit Jean, mais pourquoi ne pas imaginer que nous sommes des personnages du *Monde de Narnia*[1] ? protesta Corrie. Ou alors nous pourrions jouer de nouveau aux animaux ?

Mais Meredith voulait juste jouer à chat, faire du patin à roulettes ou partir à l'aventure en vélo. Toutes ces activités étaient amusantes, mais elles n'avaient rien de magique. Meredith était toujours une merveilleuse amie – mais elle se bornait à être elle-même, et non plus messire Perceval, Raccy ou le prince Edward[2].

La situation était pire encore à la maison. Quelque chose clochait chez Sébastien. Il filait désormais tout droit dans sa chambre en rentrant de l'école. Il descendait pour les repas

---

1. Œuvre de l'écrivain irlandais C.S. Lewis, parue dans les années 1950.
2. Personnage du *Monde de Narnia*.

mais s'isolait de nouveau juste après. Il ne prenait la parole que pour répondre à une question et parlait d'une voix étranglée, comme si les sons parvenaient à peine à sortir de sa bouche. Il n'organisait même plus de réunions de la Table ronde.

Corrie essaya de réunir tout le monde un samedi matin mais, sans Sébastien, le rendez-vous parut ennuyeux et peu convaincant.

– En raison de l'absence de Lancelot, les réunions de la Table ronde sont annulées jusqu'à nouvel ordre, leur annonça-t-elle.

– Mais nous en aurons une autre bientôt, pas vrai ? s'enquit Harry, impatient.

– Bien sûr, répondit Corrie en s'efforçant de lui sourire. Nous faisons juste une pause en attendant le retour de messire Lancelot.

Juliette parut un peu perdue :

– Mais Lancelot est là ! Il est dans sa chambre !

– Il n'est pas là en tant que chevalier, expliqua Corrie. Il est... il s'est lancé dans une quête, une quête du saint Graal. Imaginons que nous l'accompagnons dans sa quête. C'est pour cela que nous ne nous réunirons pas à Camelot ou à Joyeuse Garde avant longtemps.

Le lendemain, les plus jeunes semblaient avoir oublié qu'ils avaient un jour été chevaliers. Orly et Juliette se transformèrent en cow-boys, et Harry se mit à aller chez son ami Peter tous les jours après l'école, lorsqu'il n'avait pas la charge des jumeaux.

Corrie errait dans la maison comme une âme en peine. Elle essaya d'être Gareth toute seule, mais Gareth était aussi absent que Lancelot. Elle parvenait uniquement à lire. Les livres lui permettaient encore de s'échapper dans un autre monde. Les jours où elle n'allait pas chez Meredith, elle s'allongeait sur son lit et trouvait du réconfort dans ses romans.

Elle ne parvenait toutefois pas à oublier le visage tendu et malheureux de Sébastien. Un après-midi, elle frappa à sa porte et lui demanda si quelque chose n'allait pas.

– Tout va bien, marmotta-t-il.

– Pourquoi n'avons-nous plus de réunion de la Table ronde ?

– Je n'ai pas le temps, répondit Sébastien. J'ai trop de devoirs.

Il n'était pourtant pas en train de les faire. Corrie fut soulagée de constater qu'il lisait le *Roman du roi Arthur et de ses chevaliers de la Table ronde* de Sir Thomas Malory.

– Comment va Jennifer ? se força-t-elle à demander.

– Je ne sais point comment se porte Guenièvre, répondit Sébastien d'un ton morne et tragique qui fit tressaillir Corrie.

C'était donc cela, ils avaient dû « rompre », comme aurait dit Rose. Elle avait oublié combien elle avait souhaité cette rupture. Sébastien souffrait tellement qu'elle aurait finalement préféré qu'ils ne se séparent pas.

– As-tu... as-tu dit à Jennifer qu'elle était Guenièvre et toi Lancelot ? murmura-t-elle.

– Je l'ai fait, répondit Sébastien. Mais elle n'était pas prête à l'entendre. Je le lui ai dit trop tôt et elle ne m'a pas cru.

Corrie se demanda si Jennifer s'était moquée de Sébastien.

– Et toi, tu y crois toujours ? demanda-t-elle à son frère.

Sébastien lui tourna le dos pour rejoindre son bureau.

– Maintenant tu veux bien me laisser, Corrie ? J'ai beaucoup de choses à faire.

La fillette s'assit sur les marches de l'entrée en essayant de se concentrer. Lorsque Sébastien était avec Jennifer, il était

215

bizarre mais heureux. À présent, il n'était plus que bizarre – et si distant, comme si elle n'était plus ni sa sœur ni son compagnon d'armes. Il ne lui avait jamais paru aussi lointain.

Le soleil qui perçait à travers les fenêtres biseautées formait de jolis prismes sur le tapis et sur les murs. Lorsque Corrie était petite, elle croyait que ces rais de lumière étaient des fées. Othello dormait tranquillement sur le palier, sa fourrure ponctuée de taches de couleur. Corrie envia l'insouciance de son chat.

Elle devait découvrir ce qui s'était passé. Rose était rentrée dîner ce soir-là et, pendant qu'elles faisaient la vaisselle, Corrie lui demanda si Sébastien et Jennifer avaient cessé de se voir.

– On dirait. Elle sort avec Terry, c'est un comble ! Comment peut-elle le supporter ?

– Terry ! Oh, pauvre Sébastien ! Rose, je pense qu'il y a quelque chose qui ne va pas chez lui. Il ne veut pas me parler et il passe son temps enfermé dans sa chambre. Il ne nous dit plus ce qu'on doit faire.

– Qu'y a-t-il de nouveau dans tout cela ? fit Rose avec un haussement d'épaules. Ça fait une éternité qu'il se conduit comme ça, depuis qu'il a commencé à sortir avec Jennifer.

– Mais maintenant nous n'avons même plus de réunions de la Table ronde !

– Sébastien s'en sortira. Il s'en remettra. Et je suis contente qu'il ait enfin arrêté ce jeu, qui n'était pas bon pour lui – ni pour aucun d'entre nous. Tu sais, Corrie, de qui je suis amoureuse en ce moment ? De Ronnie ! Tu veux que je te raconte comment tout a commencé ?

– Non ! s'exclama Corrie avant de quitter précipitamment la cuisine.

Rose était incorrigible. Et Corrie avait un horrible pressentiment que Sébastien ne s'en remettrait pas. Au contraire, il paraissait s'enfoncer dans un monde où nul ne pouvait l'atteindre.

Ensuite, Sébastien cessa de rentrer à la maison après l'école. Ils étaient tous tellement habitués à ce qu'il soit reclus dans sa chambre qu'au début, aucun d'eux ne remarqua son absence. Parfois, Harry, Juliette ou Orly demandaient où il se trouvait. Rose ne semblait pas s'en préoccuper, et elle-même était de toute façon souvent sortie. Sébastien réapparaissait pour le dîner, mangeait en silence, puis se réfugiait dans sa chambre. Tout comme lorsqu'il était amoureux, sauf qu'il était désormais mutique et malheureux, et non plus dans un joyeux étourdissement.

Les jumeaux devenaient de plus en plus incontrôlables. Orly brisa une fenêtre de l'école et Juliette mordit un garçon de sa classe. Corrie n'avait aucune prise sur eux et, chaque jour, ils semblaient encore plus sales et plus malpolis que la veille. Les trois plus jeunes enfants ignoraient Corrie lorsqu'elle leur ordonnait d'aller au lit. Harry refusait de raccompagner les jumeaux après l'école et passait tout son temps chez Peter – ils fabriquaient une fusée, lui avait-il expliqué.

Meredith ne cessait d'inviter Corrie chez elle, mais cette dernière déclinait la plupart du temps ses invitations et dissuadait son amie de venir chez elle. Elle n'avait ni l'envie ni la force de faire autre chose que de tenter d'empêcher sa famille de se désagréger davantage.

Elle essaya de mettre au point un programme pour le mois de juin, mais l'absence et le manque de participation de Sébastien et de Rose compliquaient singulièrement la tâche. Harry l'ignora lorsqu'elle le supplia de sortir les poubelles, et Juliette lui tira la langue lorsqu'elle lui demanda d'essuyer la vaisselle.

– Ce n'est pas toi qui commandes ! lança la petite fille en se précipitant à l'étage.

Presque tous les soirs, Corrie devait s'occuper seule des repas et de la vaisselle, parfois aidée par Orly, acheté à coups de chewing-gums.

Père, bien entendu, ne remarqua rien. Il leur annonça que son livre était sur le point d'être envoyé chez la dactylo. Maintenant que ses cours à l'université étaient terminés, il se réfugiait dans son bureau dès que possible. Ce n'est que le dimanche qu'il leur accordait toute son attention.

Corrie se sentait si impuissante qu'elle imagina un plan. Elle espionnerait de nouveau Sébastien pour découvrir ce qu'il faisait après l'école. « Toujours loyal, tu seras. » Elle devait essayer de continuer à être Gareth, de demeurer fidèle à Lancelot et ne pas l'abandonner.

Le lendemain, en s'éloignant rapidement à vélo, elle obligea Harry à raccompagner à sa place les jumeaux à la maison. Elle pédala vite jusqu'à l'école de Laburnum et se dissimula derrière les mêmes arbustes que la fois précédente, avec Meredith.

Les premiers élèves qu'elle reconnut furent Jennifer et Terry. Jennifer riait du même rire forcé qu'elle avait avec Sébastien. Elle avait coupé sa natte et ne portait plus de maquillage. Son pull très ajusté moulait son soutien-gorge ; elle ressemblait à une cover-girl. Terry n'arrivait pas à la quitter des yeux. Les amis du jeune garçon la regardaient avec tout autant d'avidité.

Tous deux étaient si répugnants qu'ils allaient très bien ensemble, décida Corrie. Même si Sébastien était malheureux, Jennifer était sortie de sa vie.

Rose apparut en compagnie de Joyce et les deux amies s'éloignèrent rapidement, plongées dans leur conversation. Rose n'était pas avec Ronnie, c'était déjà ça.

Sébastien sortit enfin. Il se fraya un chemin entre les élèves qui s'écartèrent tous, comme s'il avait la peste. Même Terry et sa bande l'ignorèrent, complètement ensorcelés par Jennifer.

Sébastien enfourcha son vélo, et Corrie l'imita. Il se dirigeait vers Kerrisdale. Corrie zigzaguait entre les voitures, haletante et concentrée. Elle avait bien du mal à rester le long du trottoir.

Enfin, Sébastien s'arrêta devant la bibliothèque de Kerrisdale. Corrie attacha son vélo et le suivit à l'intérieur.

Elle reprit son souffle, cachée derrière une pile de livres. Elle découvrit son frère assis à une table de la section de littérature non romanesque. Il était entouré de manuels entassés et se penchait sur un ouvrage, la tête appuyée sur sa paume.

Corrie l'observa un long moment. Sébastien paraissait épuisé. Il avait de grands cernes sous les yeux. Ses cheveux sales retombaient en mèches grasses sur sa nuque. Ses ongles étaient noirs de crasse. Il tourna une page et soupira, puis leva les yeux. Corrie retourna vivement à sa cachette, d'où elle apercevait encore son visage. Il était si marqué par la douleur qu'elle ressentit comme un coup de poignard dans le cœur.

Sébastien se leva. Elle le vit se diriger vers les toilettes. Se précipitant vers sa table, Corrie jeta un coup d'œil aux livres de son frère avant de rejoindre à toute allure sa cachette.

Les chevaliers, le roi Arthur... Des récits de Malory, de Tennyson et de Pyle. L'ouvrage qu'il lisait était ouvert sur un dessin d'Howard Pyle intitulé *Dame Guenièvre*. Corrie, en quelques secondes, eut le temps de remarquer à quel point l'air pincé de Guenièvre ressemblait à celui de Jennifer.

Elle sortit discrètement de la bibliothèque, enfourcha son vélo et pédala lentement jusqu'à la maison. Sébastien paraissait toujours aussi obnubilé par Guenièvre, même si Jennifer ne faisait désormais plus partie de sa vie. Croyait-il encore être la réincarnation de Lancelot ?

Ce soir-là, Corrie relut l'épisode où Lancelot devient « fou » parce que Guenièvre se fâche contre lui : il ne se nourrit plus que de fruits et d'eau et vit à demi nu pendant deux ans. Sébastien avait-il perdu la tête comme Lancelot ?

Son frère continua de ne pas rentrer à la maison avant le dîner, mais Corrie savait désormais où il se trouvait.

– Seb, cela fait combien de temps que tu ne t'es pas lavé ? lui demanda Rose un week-end. Tes cheveux et tes vêtements sont dégoûtants, et tu empestes !

– Occupe-toi de tes affaires, marmonna-t-il avant de monter dans sa chambre.

– Il est aussi insupportable qu'Orly ! se plaignit Rose à sa sœur. Qu'est-ce qui ne va pas chez lui ?

– Il a vraiment un problème ! fit Corrie. Je crois que nous devrions prévenir Père.

– Ne le dérange pas – tu sais qu'il travaille très dur en ce moment, répondit Rose qui paraissait agacée. Je suppose que Sébastien est toujours contrarié à cause de Jennifer, mais il se conduit comme un enfant. Je vais lui parler.

– Il ne t'écoutera pas, l'avertit Corrie.

Elle regarda sa sœur monter les marches, entendit une porte claquer, et Rose redescendit presque aussitôt.

– Il est impossible ! Il ne veut même pas me laisser entrer dans sa chambre !

– Je t'avais prévenue, lui dit Corrie avec tristesse. C'est comme s'il n'était pas là.

– Eh bien, j'en ai assez de lui. Il ne fait plus rien pour nous aider.

– Toi non plus, Rose ! s'exclama Corrie. C'est moi qui fais tout, en ce moment !

– Je suis désolée, Corrie, lui répondit Rose en rougissant. Tu as tout à fait raison. Tu sais quoi, une fois que la pièce sera terminée la semaine prochaine, je rentrerai directement à la maison tous les soirs, après l'école, jusqu'à ce que Sébastien aille mieux.

– Merci. Mais, Rose, est-ce qu'on se contente d'attendre ? Tu crois vraiment que Sébastien ira mieux ? Je pense que nous devrions en parler à Père.

– Non ! On attend et c'est tout. Si Seb veut se montrer aussi têtu, nous l'ignorerons. Au bout d'un moment, il aura honte de son comportement.

– Je ne pense pas qu'il le fasse exprès, répondit Corrie. C'est comme s'il n'y pouvait rien.

– Bien sûr qu'il y peut quelque chose ! Il s'apitoie trop sur son sort, c'est tout.

Corrie secoua la tête :

– Non, ce n'est pas ça. C'est comme s'il était envoûté. Il est toujours Lancelot, tu sais. Sauf qu'il ne fait plus semblant – c'est comme s'il était vraiment Lancelot.

– Bien sûr que non, il n'est pas Lancelot ! rétorqua Rose en se redressant, furieuse. J'en ai plus qu'assez d'entendre parler de ce jeu idiot ! Il est temps que vous arrêtiez ça, en particulier Sébastien !

– Nous avons tous arrêté, sauf Sébastien ! répondit Corrie d'une voix brisée.

– Eh bien, il faut simplement qu'il grandisse. D'ici là, nous devrons nous débrouiller sans Père. Je te défends de lui en parler, c'est compris ?

Corrie hocha la tête, aveuglée par les larmes. Elle les chassa d'un clignement des yeux et monta se consacrer à un nouveau diorama pour se réconforter.

Rose et Corrie réinstaurèrent un équilibre précaire au sein du foyer. Les jumeaux ne les écoutaient pas aussi bien que Sébastien, mais ils se montraient un peu plus obéissants. La vaisselle était faite et les horaires de coucher rétablis.

Mais l'état de Sébastien empira. Il ne mangeait presque plus à table et se contentait de grignoter des biscuits et du beurre de cacahuète entre les repas. Sa peau se couvrit d'affreux boutons purulents. Il avait les dents toutes jaunes – Corrie était certaine qu'il ne les brossait jamais. Sébastien avait tellement maigri qu'il flottait dans ses vêtements et que ses joues s'étaient creusées. Dès que Rose l'asticotait, il lui répondait avec tant de violence et de hargne qu'elle finit par baisser les bras.

– Très bien, reste crasseux – je m'en moque !

Corrie essaya elle aussi de parler à son frère, mais il la repoussa avec douceur.

– Je vais bien, dit-il, j'ai juste envie qu'on me laisse tranquille, d'accord ?

– Personne à l'école ne remarque à quel point il est sale ? s'enquit Corrie auprès de Rose.

– Je ne sais pas. Peut-être pas – tous les garçons ont les cheveux gras. Ils se mettent un truc dans les cheveux pour les rendre encore plus poisseux. Et les profs ne font jamais réellement attention à nous.

Rose avait raison. Si gentil soit-il, M. Zelmach ne remarquait pas à quel point Corrie était malheureuse.

Ces derniers temps, elle avait à peine parlé à Meredith, encore moins joué avec elle. Lorsque son amie essayait de savoir pourquoi, Corrie l'écartait comme Sébastien l'avait elle-même écartée. Comme si le mal inconnu qui rongeait Sébastien était contagieux.

Corrie relut maintes et maintes fois l'épisode où Lancelot devient « fou ». Celui-ci fut sauvé de sa folie après s'être allongé à côté du saint Graal. Corrie se sentait elle-même perdre la tête. Elle n'avait pas de saint Graal pour guérir son frère et, de toute façon, tout cela n'était qu'une histoire. Leur situation à eux était réelle, et comme l'avait dit leur père, c'était bien trop de réalité à supporter.

16

Un chevalier toujours brave tu seras

– Mais pourquoi est-ce que je ne peux pas venir chez toi ? demanda Meredith.

Pour la énième fois, Corrie venait d'expliquer à son amie qu'elle ne pouvait répondre à son invitation car elle devait rentrer chez elle. Ces derniers temps, elle se sentait tiraillée dès qu'elle apercevait Meredith. D'un côté, elle souhaitait qu'elle la laisse tranquille, de l'autre, elle se réjouissait de la fidélité de son amie.

– C'est trop compliqué, soupira Corrie. Tu ne peux pas venir, c'est tout.

Les deux filles se tenaient dans l'abri à vélos. Meredith baissa la tête et frappa le sol de son pied.

– Je ne te comprends plus, Corrie, déclara-t-elle en levant vers elle un visage écarlate. Je croyais que nous étions meilleures amies.

– Mais oui ! répondit Corrie désespérée.

– Alors pourquoi tu ne veux pas me parler ? Pourquoi tu ne veux pas me dire ce qui ne va pas ? Est-ce que ça a un rapport avec ta famille ? Est-ce que ma mère pourrait vous aider ?

Corrie réfléchit. Pourrait-elle les aider ? Elle s'imagina faire

225

part de toutes ses inquiétudes à propos de Sébastien à la gentille Mme Cooper. Elle prendrait peut-être Corrie dans ses bras, ce qui serait agréable, mais ensuite elle préviendrait son père.

Corrie se sentait déchirée. Ce serait un tel soulagement de se confier à Meredith. Mais elle ne pouvait être certaine qu'elle ne répéterait pas tout à sa mère.

– Tu ne peux rien faire, murmura-t-elle. J'ai juste envie qu'on me laisse tranquille, d'accord ?

Elle fit alors la grimace en constatant combien ses propos ressemblaient à ceux de Sébastien.

– Très bien ! conclut Meredith, en colère et les larmes aux yeux. J'ai tout fait pour t'aider, Corrie. Je croyais que nous étions amies, mais visiblement je me suis trompée !

Elle s'empara de son vélo et s'éloigna à toute vitesse. Corrie la regarda, puis saisit son propre vélo. Elle était si épuisée qu'elle arriva à peine à pédaler jusqu'à la maison.

En approchant de la demeure grise un peu délabrée, elle comprit combien il lui pesait d'y pénétrer. La maison n'était plus un refuge. Elle n'avait plus Sébastien. Elle n'avait même plus la Table ronde. Et, à présent, elle avait également perdu Meredith.

Ce vendredi-là, Rose devait dormir chez Joyce. Harry passait le week-end à Victoria avec la famille de Peter. Son père avait une réunion jusqu'à neuf heures du soir.

Sébastien n'était pas rentré à l'heure du dîner.

– Où est-il ? demanda Corrie à Rose qui s'apprêtait à partir. Il était à l'école ?

– Je l'ai aperçu ce midi. Il a dû aller à la bibliothèque comme d'habitude.

– Mais il est toujours là pour le dîner !

– Il est sans doute simplement en retard. Écoute, Corrie, je suis certaine qu'il va bientôt arriver. Je dois y aller : les parents de Joyce nous emmènent voir *Les Dix Commandements*. Veille à ce que les jumeaux prennent leur bain. Ils ont enterré leurs tortues mortes et ils sont tout sales.

À huit heures, Corrie était dans tous ses états. Elle avait regardé partout dans le jardin et jeté un coup d'œil dans Camelot, mais il n'y avait personne. Elle fit prendre un bain rapide aux jumeaux.

– Où est Sébastien ? demanda Orly.

– Je ne sais pas, répondit Corrie.

En remarquant l'air inquiet de son frère et de Juliette, elle se força à ajouter d'une voix calme :

– Il est sans doute à la bibliothèque, comme toujours. Il rentrera quand vous dormirez.

Elle les coucha sans leur lire d'histoire, en dépit de leurs protestations.

Puis elle s'assit au pied des escaliers. « Un chevalier toujours brave tu seras. Jamais tu ne pleureras. »

Que devait-elle faire ? Téléphoner à quelqu'un... Elle commença par la bibliothèque, après avoir eu beaucoup de mal à trouver le numéro dans l'annuaire.

Pas de réponse. La bibliothèque était fermée.

Essayant de conserver son calme, Corrie composa le numéro de Joyce. Personne non plus. Ils devaient toujours être au cinéma.

Si seulement son père pouvait rentrer ! En désespoir de cause, elle composa le numéro de son poste à l'université, tout en sachant qu'on ne lui répondrait pas – la réunion avait lieu en ville. Elle raccrocha le téléphone et se mit à faire les cent pas dans la maison. Il était maintenant huit heures et demie. Dans une demi-heure, heureusement, son père serait de retour. Mais que faisait Sébastien ? Allait-il bien ? Avait-il eu un accident, comme Maman ? Si on le trouvait quelque part, il serait impossible de savoir qui il était.

« Un chevalier toujours brave tu seras. Jamais tu ne pleureras... » Corrie s'assit de nouveau sur les marches, en serrant les poings. Elle observa les aiguilles de l'horloge avancer petit à petit jusqu'à neuf heures.

Il fut ensuite neuf heures dix, puis neuf heures vingt et neuf heures quarante, et Père n'était toujours pas là. Il faisait nuit à présent.

À qui d'autre pouvait-elle téléphoner ? Aux parents de Meredith. Corrie composa leur numéro les doigts tremblants, mais ils n'étaient pas chez eux. Tante Madge... elle était loin d'ici, à Winnipeg, mais elle pourrait lui dire quoi faire.

Tante Madge ne répondit pas non plus. Mme Oliphant ? Elle ignorait son numéro de téléphone.

Elle monta à l'étage et jeta un œil sur Orly et Juliette, enviant leur sommeil profond et insouciant. Elle se rendit dans la chambre de Sébastien et se mit en boule sur son lit. Tout le monde l'avait abandonnée. Il n'y avait personne pour lui venir en aide.

« Jamais tu ne pleureras. » Corrie observa la série de dessins de chevaliers et de leur attirail accrochée aux murs. Qu'était-il arrivé à Sébastien ?

Lancelot attendrait d'elle qu'elle se comporte en messire Gareth. Corrie se redressa et tâcha de se souvenir du comportement à adopter en cas de problème. Certes, la maison n'était pas en feu, mais on pouvait considérer qu'il s'agissait d'une urgence.

Elle redescendit à toute vitesse au rez-de-chaussée pour décrocher le téléphone, rassemblant son courage pour composer le numéro de l'opératrice. Qu'allait-elle lui dire et que lui répondrait la standardiste ? Alerterait-elle la police ? Est-ce que tout le monde penserait qu'elle s'affolait ? Après tout, Père et Sébastien allaient peut-être rentrer.

Peu importe ce que les autres penseraient. Le plus important était de retrouver Sébastien.

Au moment où elle décrochait le combiné, la porte d'entrée s'ouvrit. Père !

Corrie se précipita dans ses bras.

– Oh, Père ! sanglota-t-elle. Sébastien a disparu et je ne sais pas quoi faire !

Elle se mit à pleurer si fort qu'elle s'en étouffa presque.

– Ma chère enfant ! s'exclama son père en s'asseyant dans le fauteuil de l'entrée et en la prenant sur ses genoux. Qu'est-ce qui t'a mise dans cet état ? Sébastien n'est pas là ? Ne pourrait-il pas être chez un ami ?

– Il n'a pas d'ami ! hoqueta-t-elle. Il n'est pas rentré manger. Et vous non plus, vous n'étiez pas rentré et j'avais si peur !

– Oh, ma pauvre enfant... se désola Père en la serrant plus fort. Je suis vraiment navré. La réunion a duré plus longtemps que prévu, mais ce n'est pas la première fois que je suis en retard. Et où sont les autres ?

– Rose est sortie et Harry est parti pour le week-end ! Je suis toute seule avec les jumeaux. J'étais tellement inquiète ! Oh, Père, quelque chose ne va pas chez Sébastien !

Lentement, entre deux sanglots, Corrie lui raconta tout ce

qui était arrivé. Elle pleura longtemps contre l'épaule de son père, soulagée. Enfin, quelqu'un allait l'aider.

Père semblait abasourdi :

– Mais pourquoi ne m'as-tu pas raconté tout cela ? Le pauvre garçon, je ne savais pas du tout qu'il était dans cet état !

– C'est parce que vous écriviez votre livre ! Et parce que vous n'aimez pas qu'on vous dérange ! Et Rose a dit qu'il irait mieux, mais ce n'est pas ce qui s'est passé. Et puis maintenant, il a disparu !

– Mon livre... fit Père en secouant sa tête ébouriffée comme s'il venait de se réveiller. Comme si mon livre était plus important que mon fils, poursuivit-il les larmes aux yeux. Oh, ma chère Cordelia, je suis navré que tu aies eu cette impression. Je suis tellement navré.

Doucement, avec son grand mouchoir, il essuya le visage humide de Corrie et la laissa se moucher. Puis il l'embrassa et la remit sur ses jambes.

– Et maintenant, qu'allons-nous faire, hein ? As-tu une idée de l'endroit où pourrait se trouver Sébastien ? Est-ce qu'il pourrait être dehors ?

Corrie se concentra.

– J'ai regardé dans l'abri et partout dans le jardin. Peut-être à Joyeuse Garde...

– Joyeuse Garde ?

– C'est comme ça qu'on a appelé notre fort sur le terrain de golf. C'est le château de Lancelot.

– Allons-y immédiatement. Je vais chercher une torche.

– Et les jumeaux, alors ? On ne peut pas les laisser tout seuls.

Père sembla se réveiller encore un peu plus.

– Bien sûr que non. Où avais-je la tête ? Je sais : nous allons

230

demander à Betty Tait, la voisine, de venir pour un petit moment.

Il téléphona à Mme Tait, qui répondit qu'elle arrivait immédiatement. Les voisins... pourquoi Corrie n'y avait-elle pas pensé ? Elle aurait pu demander de l'aide à l'un d'entre eux, même s'ils ne leur avaient presque pas parlé depuis la mort de Maman.

Mme Tait arriva quelques minutes plus tard. Elle les observa avec curiosité, mais Père n'en dit pas plus. Il prit sa lampe électrique et pria Corrie d'enfiler sa veste.

– Et s'il n'est pas là-bas ? demanda Corrie avec inquiétude, tandis qu'ils marchaient sur le trottoir.

Les réverbères dessinaient des ronds de lumière sur la chaussée.

– Alors, nous appellerons la police, répondit Père. Ne t'inquiète pas, mon enfant, nous allons le retrouver.

Il semblait vouloir convaincre Corrie autant que lui-même.

De nuit, le terrain de golf était aussi sinistre que le soir d'Halloween. Les arbres noirs se dressaient au-dessus d'eux et un animal se précipita dans les fourrés à leur passage – sans doute un raton laveur, déclara Père. Sa torche diffusait un long rayon de lumière qui éclairait les hautes herbes devant eux. Corrie serra plus fort la main de son père et celui-ci la retenait de trébucher.

– C'est là ! annonça Corrie en lui lâchant la main et en traversant l'herbe à toute vitesse pour rejoindre la clairière. Sébastien ?

Personne ne répondit. Elle entraîna son père dans les taillis et souleva la couverture qui leur servait de porte. Père éclaira l'intérieur de Joyeuse Garde.

Sébastien était tapi dans un coin du fort, les genoux entre les bras. Il était nu, à l'exception d'une bande de tissu autour de la taille. Il avait le visage, les bras et les jambes écorchés et boueux. Il se recroquevilla un peu plus pour échapper au rayon de lumière et gémit comme un animal pris au piège.

– Sébastien, mon garçon, mon petit garçon... fit Père en s'engageant à l'intérieur.

Il tendit la lampe à Corrie. Sébastien les dévisageait comme s'il ne les reconnaissait pas. Ses yeux étaient écarquillés et sans expression, comme deux trous noirs dans son visage blême.

– Tout va bien mon garçon. Nous sommes venus te chercher pour te ramener à la maison, le rassura Père d'une voix douce et calme.

Il s'accroupit devant Sébastien, qui ne quittait pas son père des yeux. Leurs regards se croisèrent et Sébastien poussa un bref cri de souffrance.

Père lui tendit les bras. Sébastien s'y précipita. Ses épaules nues et maigres étaient secouées de sanglots.

– Je veux Maman... dit-il d'une voix rauque. J'ai tellement envie qu'elle soit là !

Père se mit lui aussi à pleurer.

– Oh, mon cher petit, murmura-t-il en lui caressant les cheveux. Moi aussi... moi aussi.

Ils le ramenèrent à la maison, presque effondré dans les bras de son père.

– Oh, juste ciel, que s'est-il passé ? s'exclama Mme Tait au moment où ils franchirent la porte d'entrée.

– Tout va bien, Betty, répondit Père d'un ton bourru. Nous

232

pouvons nous en occuper. Je vous remercie beaucoup d'être venue.

– Puis-je vous aider ?

Père parvint d'une manière ou d'une autre à la faire partir. Mme Tait avait paru si inquiète et si gentille que Corrie aurait presque souhaité qu'elle reste.

Père conduisit Sébastien à la salle de bains, et Corrie l'écouta baigner tendrement son frère comme si c'était un petit garçon. Il lui donna de l'aspirine, le mit au lit et s'assit à son chevet jusqu'à ce qu'il s'endorme. Corrie enfila son pyjama, puis attendit devant la chambre de Sébastien, sur le tapis de l'entrée. Adossée au mur, elle agrippait ses genoux avec la sensation que son corps flottait.

– Il s'est endormi vite, lui souffla son père en sortant de la chambre. Viens avec moi, mon enfant, toi aussi, tu dois aller te coucher.

Il souleva Corrie comme un bébé et la glissa dans son lit. Il l'embrassa et lui caressa la tête un long moment. Corrie sombra dans le sommeil comme dans un nid douillet où les soucis n'existaient plus.

17

Vive les vacances

Sébastien dut passer deux semaines à l'hôpital. Il était affaibli à cause de son alimentation insuffisante et voyait tous les jours un psychiatre qui travaillait avec les adolescents en difficulté. Père leur annonça tout cela d'un ton grave. Il allait voir Sébastien tous les après-midi. Le reste de la famille n'y était pas autorisé.

Ils trouvèrent refuge l'un auprès de l'autre. Juliette dormait dans la chambre de Rose et Orly dans le lit de Corrie. Il se pelotonnait contre elle et sa douce odeur de petit garçon apaisait sa sœur. Harry, quant à lui, dormait à côté d'Othello.

Père délaissait son livre et passait désormais ses soirées en leur compagnie dans le séjour. Il les informa que Sébastien se remettait aussi bien qu'on pouvait l'espérer.

– Il mange de mieux en mieux et dort beaucoup. Et il pleure beaucoup... moi aussi, fit leur père d'un air penaud. Le docteur Samuel dit que ça nous fait du bien à tous les deux.

– Moi, je pleure tout le temps ! s'enorgueillit Orly.

– C'est parce que tu es un pleurnicheur, lança Harry. Un chevalier ne pleure *jamais*. C'est ce que Sébastien disait toujours.

– Ah bon ? s'étonna Père. Je crois qu'il avait tort sur ce point. Parfois, même les chevaliers ont besoin de pleurer.

Sébastien devait rentrer à la maison le premier jour des vacances. Corrie redoutait ce retour. Elle ne parvenait pas à oublier l'image de son visage sale et de ses yeux hagards, ni la profonde tristesse qu'elle y avait lue.

Le lundi qui avait suivi la découverte de Sébastien, Corrie s'était approchée de Meredith d'un air décidé et avait lâché :

– Je suis désolée !

Elle avait besoin de tout lui raconter le plus vite possible.

– Oh, Corrie, moi aussi, je suis désolée ! Est-ce qu'on peut redevenir meilleures amies ?

– Bien sûr ! répondit Corrie qui essaya ensuite de parler de Sébastien à Meredith.

Celle-ci semblait perplexe :

– Il pensait vraiment être Lancelot ?

– J'ai l'impression, répondit Corrie. Je ne comprends pas vraiment comment. Le médecin a dit à Père qu'il avait « perdu contact avec la réalité ». Père estime que Sébastien a volé trop près du soleil.

– Et ça, qu'est-ce que ça veut dire ?

Corrie essaya de lui parler d'Icare, mais c'était trop compliqué.

– Est-ce que Sébastien va guérir ?

– J'espère. Ils disent qu'il a besoin d'une longue période de repos.

C'était gênant de parler de Sébastien. Elles furent soulagées d'aborder le sujet qui faisait fureur dans la classe de 6eA : la fête organisée par Sharon dans quelques jours.

Sharon invitait toute la classe après la remise de leur diplôme de fin d'études à l'école du Duc-de-Connaught. La jeune fille était connue pour ses fêtes sophistiquées, mais Corrie n'avait jusque-là jamais été invitée.

– C'est une soirée *mixte*, fit observer Meredith anxieuse. Je ne suis jamais allée à une fête comme ça, et toi ?

– Non ! répondit Corrie avec un haussement d'épaules. On est obligées d'y aller ?

– Moi, j'ai envie d'y aller, mais je n'irai pas sans toi.

Corrie n'avait pas le choix :

– D'accord, j'irai, soupira-t-elle.

– Je crois que ça va être bien, ajouta Meredith l'air déterminé. Mais qu'allons-nous mettre ? Il nous faut une tenue habillée pour la cérémonie de l'après-midi. Tu crois que ma robe chemisier est trop ordinaire ? Je pourrais mettre ma robe en organdi jaune, mais elle risque d'être trop petite. Sharon a dit que nous devions porter une tenue plus décontractée pour sa fête.

Corrie écoutait ce bavardage avec horreur, regrettant profondément d'avoir accepté l'invitation.

Le lendemain, jour le plus chaud de l'année, le tout nouveau pont Second Narrows de Vancouver s'effondra, provoquant la mort de dix-neuf personnes. Durant toute la semaine, Père, les Cooper et M. Zelmach parlèrent de la catastrophe, mais leurs propos graves semblaient flotter au-dessus de Corrie. Elle essayait de ressentir de la compassion pour les familles des victimes, mais il se passait la même chose que lorsque les adultes évoquaient la bombe H ou la menace russe – tout cela lui paraissait très éloigné de son propre univers. Elle était déjà suffisamment préoccupée par Sébastien – et par la fête.

C'est alors que Rose la prit en main. Sa sœur demanda à leur père un petit supplément d'argent de poche, et Corrie et elle se rendirent à Oakridge. Corrie commença par se faire couper la frange. Puis Rose lui choisit un pantalon corsaire rouge et un chemisier assorti, à pois comme les revers du pantalon, et sans manches. Elles dénichèrent même des tennis rouges.

– C'est parfait pour la fête, déclara Rose. À présent, qu'allons-nous prendre pour ta cérémonie de remise de diplôme ? J'avais une tenue très habillée pour la mienne. J'aurais aimé que tu puisses porter ma robe, mais tu es déjà plus grande que moi – elle serait trop courte.

– Je suis plus grande ? répéta Corrie, surprise.

Rose les fit se mettre dos à dos devant la glace de la cabine d'essayage. C'était vrai ! Corrie dépassait sa sœur d'un peu plus de un centimètre. Rien de surprenant à ce qu'elle ait eu l'impression d'avoir de longues jambes ces derniers mois !

– Père nous a dit de dépenser autant que nous le souhaitons. Alors, allons te chercher une jolie tenue.

Avant que Corrie ait pu protester, Rose avait choisi une robe en organdi bleu vif avec une crinoline. Elle lui acheta ensuite des souliers noirs dont les lanières pouvaient s'attacher derrière les chevilles pour en faire des escarpins, ainsi qu'une nouvelle paire de socquettes blanches. Corrie contemplait avec timidité l'étrangère qui se reflétait dans le miroir.

– Tu deviens aussi jolie que Maman, commenta Rose d'une voix douce.

La remise des diplômes fut beaucoup plus amusante que ce à quoi Corrie s'attendait. L'école se termina à midi. Dès que la cloche retentit, toute la classe s'écria :

– Vive les vacances,
Plus de pénitences !
Les cahiers au feu,
La maîtresse au milieu !

M. Zelmach fit une moue désapprobatrice au moment où ils passèrent devant lui pour se précipiter vers la porte.

Après le déjeuner, Corrie se lava le visage et les mains et revêtit sa nouvelle robe.

– On dirait une princesse ! s'exclama Orly en la voyant descendre les escaliers.

– Tu es très jolie, Cordelia, lui dit Père.

Corrie lui donna la main lorsqu'ils retournèrent ensemble à l'école. À chaque pas qu'elle faisait, elle ne pouvait s'empêcher de frôler son père avec sa robe raidie par la crinoline.

Depuis la scène, Corrie adressa un signe de la main à son père, fière de l'allure distinguée de celui-ci au milieu de la foule des parents. Après la cérémonie, elle se tenait à ses côtés en serrant fort son diplôme, quand M. Zelmach s'approcha pour serrer la main de son père.

– Je suis enchanté de vous rencontrer, professeur Bell, dit-il. Corrie a fait honneur à la classe, et elle s'en sortira très bien au collège, même en mathématiques, n'est-ce pas Corrie ? À tout à l'heure pour le concert !

Il s'éloigna pour saluer d'autres parents.

– Quel concert ? demanda son père, qui semblait encore une fois tomber des nues.

– Je vous en ai parlé il y a longtemps, Père ! s'exclama Corrie avec un large sourire. En juillet, nous allons participer à un concert pour célébrer le centenaire de la Colombie-Britannique. Nous irons en ville avec plein d'autres écoles.

– Tu me redonneras la date que je ne manque pas cela, poursuivit son père.

– Vous viendrez ?

– Bien entendu ! D'ailleurs, je suis navré de ne pas avoir rencontré ton professeur plus tôt. Il a l'air d'un jeune homme charmant.

Un jeune homme ? M. Zelmach leur avait dit qu'il avait trente-six ans ! Mais Corrie supposait qu'il devait paraître jeune à son père.

Après l'école, Corrie enleva à la hâte sa robe et sa crinoline qui lui piquait les jambes et enfila son corsaire et son haut rouges. Le père de Meredith les accompagna en voiture à la fête. La maison de Sharon était aussi grande que celle des Bell, à ceci près qu'elle était d'une propreté impeccable et sentait l'encaustique. Corrie avait le cœur battant en pénétrant dans la salle de jeux. On aurait dit une pièce remplie d'inconnus. D'un côté, toutes les filles gloussaient et chuchotaient pendant que, en face, les garçons attendaient en silence, jetant de temps à autre des coups d'œil vers le buffet.

Corrie eut envie de se sauver. Mais l'ambiance s'améliora peu à peu. La mère de Sharon accrocha dans le dos de chacun un petit papier sur lequel était inscrit le début du titre d'une comptine, comme *Jack et Jill*, *Hé, Diddle, Diddle* ou *Humpty Dumpty sur un muret perché...* Ils devaient faire le tour de la pièce et trouver la suite du titre en posant des questions. Les rires ainsi provoqués détendirent tout le monde et leur firent se souvenir qu'ils étaient les mêmes que tous les jours à l'école.

Puis la tante de Sharon arriva pour leur apprendre à danser le quadrille. Corrie adora sautiller pendant que la jeune femme leur disait : « Faites tourner votre cavalier... dos à dos ! » Ils n'avaient pas à se préoccuper d'être ou non invité à danser ; ils tiraient des numéros et trouvaient ainsi leur partenaire.

Jamie était le cavalier de Corrie. Tous deux riaient en se marchant sur les pieds. Ils s'assirent ensemble en mangeant les délicieuses coupes glacées préparées par la mère de Sharon.

Dans la voiture qui les raccompagnait chez elles, Meredith murmura à Corrie :

– Tu as vraiment eu de la chance de danser avec Jamie, et pas avec cet horrible Frank, comme moi ! Tu l'aimes bien ?

Corrie se tortilla :

– Bien sûr, je l'aime bien. Il est beaucoup plus gentil qu'avant. Mais c'est juste un garçon de la classe, rien de plus, ajouta-t-elle sur un ton ferme.

Il était important d'écraser dans l'œuf toute stupide interprétation de la part de Meredith.

« Écraser dans l'œuf. » C'était une expression de tante Madge. Corrie se demanda si son père l'avait avertie, à propos de Sébastien. La légèreté de cette journée s'en était allée, et elle commença à s'inquiéter en pensant au lendemain.

18

La mort de Lancelot

Le 27 juin, Corrie se réveilla avec une sensation de légèreté caractéristique d'un premier jour de vacances d'été. Puis elle se souvint : Sébastien rentrait à la maison cet après-midi.

Elle passa la matinée chez Meredith afin d'aider son amie à préparer ses bagages. Les Cooper prenaient le train le soir même pour l'Alberta, où ils passeraient tout le mois de juillet au chalet des parents de Mme Cooper.

– J'aurais bien aimé que tu puisses venir aussi, Corrie, regrettait Meredith.

– Ne vous inquiétez pas, fit sa mère. Nous serons de retour en août et vous pourrez organiser une fête d'anniversaire commune. Ça sera formidable, non ?

Corrie sourit. Mme Cooper allait lui manquer presque autant que Meredith. Elle resta déjeuner, puis elle ne put retarder davantage le moment de rentrer chez elle. Les embrassades avec les Cooper lui donnèrent toutefois du courage.

– Et si on se laissait pousser les cheveux pendant l'été ? suggéra Meredith. Cet automne, nous pourrions nous faire une queue-de-cheval ?

– D'accord, répondit Corrie en souriant.

– Salue ta famille de notre part, Corrie, tu veux bien ? dit Mme Cooper. Je suis certaine que ton frère reviendra en meilleure santé.

Pendant tout le trajet jusqu'à la maison, Corrie pria pour que ce soit vrai.

Père partit en taxi chercher Sébastien. Rose, Corrie, Harry, Juliette et Orly attendaient dans le salon. Même les jumeaux ne disaient rien.

– Le voilà ! s'exclama Juliette en courant vers la porte, Orly sur ses talons.

Sébastien entra de manière aussi décontractée que s'il arrivait de l'école un jour comme les autres.

– Bonjour tout le monde, dit-il doucement.

Corrie fut estomaquée : il s'était fait couper les cheveux ! Sa superbe chevelure de chevalier était à présent aussi courte que celle d'un adolescent, et lissée en arrière avec du gel. Il avait repris du poids et ses boutons avaient presque disparu, mais ses yeux gris étaient sans expression.

Rose apporta un pichet de limonade.

– Tu es toujours malade, Sébastien ? demanda Juliette.

– Juliette ! Ce n'est pas poli ! la réprimanda Rose.

– Ce n'est rien, répliqua Sébastien. Non, Juliette, je ne suis plus malade. Je vais beaucoup mieux. Et je suis désolé d'avoir causé tant de soucis à tout le monde.

Corrie frissonna. Sébastien parlait de manière posée et étudiée, comme s'il avait répété son texte.

– Des *soucis* ! reprit Père en posant sa main sur l'épaule de Sébastien. C'était ma faute, mon garçon, pas la tienne. Écoutez mes enfants, j'ai plusieurs choses à vous dire.

Père semblait en réalité avoir peur d'eux. Ils posèrent leur verre et lui accordèrent toute leur attention.

Père s'excusa de les avoir négligés depuis la mort de Maman. Il estimait qu'il aurait dû s'apercevoir bien plus tôt que Sébastien était malheureux.

– Je me suis réfugié dans mon travail toutes ces dernières années. Je suppose que c'était ma manière de pleurer votre mère. Tout comme Sébastien s'est réfugié dans le fait d'être Lancelot, n'est-ce pas mon garçon ? Mais tout cela est terminé à présent. Sébastien et moi, nous avons beaucoup parlé. Nous allons tous les deux essayer de vivre davantage dans la réalité, n'est-ce pas ?

Toujours très raide, Sébastien hocha la tête pendant que Père poursuivait.

– Il n'est pas normal que Sébastien, Rosalinde et Cordelia aient dû s'occuper de tout. C'est moi qui aurais dû prendre toutes ces choses en main, au lieu de supposer que Mme Oliphant s'en chargeait.

– On la déteste ! s'exclama Juliette.

Père sourit :

– Je sais que vous ne la trouviez pas facile à vivre. Mais, elle non plus, elle ne vous trouvait pas faciles ! J'ai dû l'augmenter à plusieurs reprises pour l'empêcher de s'en aller. Il y a un mois, elle m'a remis sa démission. Je l'ai persuadée de rester jusqu'à ce que l'école soit finie. Elle a passé hier son dernier jour chez nous.

– Chouette ! s'écria Orly.

Corrie n'avait même pas remarqué que l'Éléphant n'était pas venue aujourd'hui. Et Mme Oliphant ne leur avait pas dit au revoir. Elle les détestait probablement tout autant qu'eux.

Aucun d'entre eux ne lui avait jamais posé de question sur sa vie privée. Ils l'avaient ignorée, comme s'il s'agissait d'un robot, parce que c'était ce que Sébastien voulait.

– Mais qui va s'occuper de la cuisine et du ménage ? demanda Rose. Nous pouvons nous en charger cet été, mais après, quand nous retournerons à l'école ?

– Ne t'inquiète pas, Rosalinde. Cet automne, nous trouverons quelqu'un que vous apprécierez. J'y veillerai. Et cet été, c'est moi qui vais me charger de la maison.

Ils le regardèrent ébahis :

– Vous ?

– N'ayez pas l'air aussi surpris ! Je cuisinais beaucoup avant de rencontrer votre mère – n'oubliez pas que j'étais un célibataire endurci quand elle m'a épousé. Et n'importe qui est capable de faire du ménage. J'ai envie de passer plus de temps avec vous et je veux vous accorder un peu de répit. Ce n'est pas normal que des enfants de votre âge aient eu à porter autant de responsabilités.

– Et votre livre alors ? lui demanda Corrie.

– J'ai prévenu mon éditeur qu'il était reporté pour une durée indéterminée, répondit Père en les regardant avec tendresse. S'il y a bien une leçon que j'ai retenue de tout ça, c'est que vous êtes infiniment plus importants que n'importe quel livre.

Corrie ressentit une note d'espoir. Son père les aimait ! Il allait s'occuper d'eux !

Mais la nouvelle apparence de Sébastien, son regard vide et sa voix monotone l'effrayaient. Il était néanmoins de retour et semblait vraiment en meilleure santé. Il redeviendrait sans doute lui-même bientôt. Tout irait sans doute très bien.

246

Ce fut le cas durant un mois. Tous les matins, Père se levait de bonne heure et leur préparait des crêpes ou des œufs et du bacon. Il passait l'aspirateur, astiquait, dépoussiérait et ne laissait personne l'aider.

– Allez jouer ! leur ordonnait-il.

Il fit appel à des professionnels pour débarrasser la maison des souris et des poissons d'argent, réparer la grille branlante, couper le lierre qui entrait dans la chambre de Corrie, ainsi que pour tailler les arbres et désherber le jardin.

La maison n'avait pas été aussi resplendissante depuis des années ; elle avait l'air reconnaissante de recevoir toute cette attention, se dit Corrie, comme à Noël. Elle dégageait une bonne odeur de gâteaux et de petits plats, tout comme lorsque tante Madge vivait avec eux.

Tous les matins, Corrie se réveillait dans sa chambre toute propre, l'esprit presque insouciant. Sa seule inquiétude concernait Sébastien, qui lui occupait toujours l'esprit.

La veille du retour de celui-ci, Père leur avait dit que leur frère finirait par aller mieux, mais qu'il passerait par de nombreuses évolutions. C'est comme s'il faisait sa mue avant de devenir une nouvelle personne. Ils devraient être patients jusqu'à ce qu'il se soit enfin trouvé.

Corrie avait du mal à rester patiente. Sébastien ressemblait à un étranger très poli en visite dans la famille. Il avait tellement négligé ses études au dernier trimestre qu'il devait reprendre deux matières en cours de rattrapage pour pouvoir entrer au collège à l'automne. Il passait beaucoup de temps à étudier. Lorsqu'il ne révisait pas, il apprenait aux jumeaux à pédaler sur les nouveaux vélos que leur avait offerts leur père, ou il allait à la piscine ou encore à la bibliothèque avec Corrie et Harry. Il participait aux excursions familiales à la plage ou au parc Stanley. Rose et lui s'étaient même réconciliés. Il la taquinait au sujet de Ronnie et elle l'aidait à faire ses exercices de maths, une matière où elle réussissait sans difficulté.

Le problème était que Sébastien était *trop* poli et *trop* aimable. Son sourire était artificiel et ses paroles semblaient encore avoir été répétées. Il ne parlait que lorsqu'on lui adressait la parole et, le reste du temps, demeurait étrangement silencieux. C'était comme s'il faisait semblant d'être normal tout comme il faisait autrefois semblant d'être Lancelot.

Pire que tout, il ne se confiait pas à Corrie. Père lui parlait beaucoup – presque tous les soirs lorsqu'il lui rendait visite dans sa chambre. Corrie se sentait jalouse dès qu'elle apercevait la porte close.

Un soir, elle y frappa une fois son père redescendu.

– Salut Corrie, lui dit Sébastien avec un sourire contraint qui la fit frémir. Tu veux quelque chose ?

Corrie haussa les épaules :

– Juste te dire bonjour. Comment vas-tu ? lui demanda-t-elle d'une voix douce.

– Ça va, répondit-il.

– As-tu... as-tu passé un bon moment chez le docteur, aujourd'hui ?

Une fois par semaine, Sébastien avait rendez-vous avec le docteur Samuel. Père s'entretenait avec le psychiatre un autre jour. Il affirmait qu'il réapprenait à être père.

– Ça allait.

– De quoi avez-vous parlé ?

– Oh, de plein de choses.

En voyant son expression fermée, Corrie sut qu'il ne lui en dirait pas plus.

– Tu l'aimes bien ?

Sébastien rougit :

– Ça va. Corrie, c'est très sympa de te parler, mais j'ai plein de devoirs à faire.

Corrie sortit précipitamment, honteuse d'avoir posé des questions aussi ridicules. Comme cet échange était différent des conversations légères entre Lancelot et Gareth !

Juliette ne cessait de demander à Sébastien quand se tiendrait une réunion de la Table ronde.

– Ça fait longtemps que nous n'en avons pas eu, et Orly et moi nous voulons devenir écuyers ! se plaignit-elle.

– Vous pouvez jouer aux chevaliers autant que vous voulez, lui répondit Sébastien. Mais moi, je suis trop grand maintenant.

Corrie essaya de reprendre sa place en réunissant les autres membres de la Table ronde. Harry fut ravi de devenir messire Tristan : son épreuve consista à manger un ver de terre, ce qu'il réussit sans difficulté. Juliette et Orly accédèrent au rang d'écuyers. Les chevaliers et les écuyers s'affrontèrent dans le jardin lors de joutes et de duels à l'épée passionnés. Il était désormais impossible pour Corrie de retourner à Joyeuse Garde après cette affreuse nuit.

Le lendemain, après l'appel, alors que Gareth leur lisait une histoire, elle posa le livre.

– Ça ne sert à rien, lança Corrie en se relevant.

– Qu'est-ce qui ne va pas ? interrogea Harry.

– Je ne peux plus jouer à ce jeu. Je pense... je pense que je suis trop grande. Toi Harry, tu peux devenir le chef des chevaliers.

Vous pouvez tous devenir des chevaliers. Vous pouvez même choisir les noms que vous voulez.

– Tu veux dire que je peux être *Lancelot* ? demanda Harry.

– Non ! s'exclama Corrie les yeux remplis de larmes. Tout sauf lui. Lancelot est mort !

Avant qu'ils aient pu réagir, elle quitta la cabane en courant et se précipita dans sa chambre. C'en était également fini de Gareth. D'une certaine manière, c'est Lancelot qui l'avait tué, tout comme dans la légende.

Je ne serai plus jamais chevalier, se dit Corrie. Elle essaya de pleurer mais, au bout de quelques instants, la question ne lui parut pas en valoir la peine. Elle prit son roman et se plongea dans les aventures des Chapardeurs[1]. Les livres, au moins, conservaient leur magie.

Au cours des jours suivants, la maison et le jardin se remplirent de chevaliers entrechoquant avec acharnement leurs lances ou leurs épées. Puis le jeu tourna court, les trois chevaliers restants n'ayant pas d'autre idée que de se battre entre eux.

Corrie passa une journée entière à nettoyer la cabane. Elle jeta les armes brisées et balaya le sol. Elle rassembla les étendards, les armures, les listes, les capuchons destinés aux éperviers et rangea le tout dans une boîte sur laquelle elle inscrivit « Table ronde », avant de la remiser dans un coin. Elle la regarda un peu triste pendant une seconde, mais elle devait se rendre à son cours de natation et quitta la cabane rapidement.

Leur père était à présent davantage à leur écoute. Il remarqua que Juliette avait perdu une dent et demanda à Harry de

---

1. Série de Mary Norton, publiée en 1952.

250

se conduire plus gentiment avec Orly. Ils absorbaient l'attention de leur père comme de véritables éponges. Juliette cessa de se ronger les ongles et Orly d'avoir peur du noir. Rose taquinait leur père sur son embonpoint naissant et le poussa à s'acheter un nouveau gilet pour remplacer celui tout troué qu'il revêtait en permanence. Corrie grimpait souvent sur les genoux de son père, même si elle était si grande qu'elle en tombait presque.

Père se mit à parler de Maman. Tous les soirs, il les encourageait à penser à elle.

C'est Rose qui s'en souvenait le mieux.

– Maman prenait des cours de yoga, racontait-elle. Tous les jours, elle mettait ses collants et prenait d'étranges positions sur le tapis du salon. J'essayais de faire comme elle, mais je perdais toujours l'équilibre, ajouta-t-elle en riant.

– Est-ce qu'elle chantait la chanson *Wynken, Blynken et Nod*[1] ? demanda Harry.

Père se mit à chanter d'une voix tendre :

– Wynken, Blynken, and Nod one night
Sailed off in a wooden shoe
Sailed on a river of crystal light
Into a sea of dew.

---

1. *Wynken, Blynken and Nod*, poème enfantin écrit par Eugène Field (1889),
Traduction :
Wynken, Blinken et Nod,
Embarquèrent une nuit
À bord d'un sabot de bois
Et naviguèrent sur l'onde
Cristalline d'une mer de rosée.

Harry sourit.

Corrie se souvenait d'avoir aidé leur mère à essayer de nouvelles recettes étrangères, comme le chili con carne ou la fondue.

– Ce n'était pas bon, s'esclaffa Père, mais ça ne l'arrêtait pas !

Maman dégageait une odeur douce et fruitée de gingembre, pensa Corrie. Elle riait de bon cœur et parlait fort comme Juliette.

– Moi, je me souviens qu'elle me frottait le dos tous les soirs avant que j'aille me coucher, raconta Orly.

– Je ne me souviens de *rien du tout*, lança Juliette. Et je ne pense pas que tu puisses te souvenir non plus, Orly. Tu inventes, c'est tout.

– Pas du tout !

– Peut-être qu'il se souvient, même s'il n'avait que trois ans, ajouta Père. Molly lui frottait le dos tous les soirs : c'était la seule façon de l'endormir. Est-ce que tu aimerais que je fasse la même chose, Orlando ?

– Oui, j'aimerais bien, murmura Orly.

Sébastien ne participait jamais à aucune de ces conversations. Mais Corrie l'observait avec attention et son regard s'illuminait parfois brièvement, comme une flamme ravivée.

C'était triste de parler de Maman, c'était comme regarder une petite bulle fragile et lumineuse flotter dans les airs avant d'éclater. Mais c'était aussi rassurant. Plus ils se la rappelaient, plus les souvenirs semblaient revenir.

Un matin, Père les emmena dans l'atelier de Maman, la pièce du premier étage qui demeurait constamment fermée. Il ouvrit les rideaux et leur montra toutes les peintures. Émerveillée, Corrie regardait fixement les toiles aux couleurs lumineuses.

On aurait dit des lumières qui rayonnaient depuis le mur. Elle avait oublié que c'était Maman qui avait peint tous ces tableaux.

Juliette dansait dans l'atelier comme si les toiles étaient son public. Sébastien paraissait hypnotisé et fixait intensément chaque œuvre.

– Elles sont incroyables, murmura-t-il.

Pour la première fois depuis son retour à la maison, il semblait parler de sa véritable voix.

– Ce tableau est en train de rire ! s'exclama Orly devant une toile striée de bandes jaunes et bleues.

– Tu as tout à fait raison. Il est vraiment en train de rire, confirma Père.

Il leur raconta que leur mère avait espéré pouvoir exposer ses œuvres.

– Une galerie d'art en ville était très intéressée. Molly essayait de peindre quelques tableaux supplémentaires pour en présenter une quantité suffisante.

– Vous ne pourriez pas contacter la galerie ? demanda Rose. Elle serait peut-être encore intéressée !

– Si, je pourrais... répondit lentement Père. Mais cela voudrait dire que les tableaux pourraient être vendus ; ils sont tellement beaux que je pense qu'ils se vendraient sans problème. Et nous ne les reverrions plus jamais.

– Mais nous ne les voyons jamais, de toute façon, répliqua Corrie. Nous ne voyons que ceux accrochés dans le salon.

– Tu n'as pas tort, Cordelia, lui répondit Père en souriant. Peut-être vaut-il mieux que les tableaux de Molly soient exposés à travers le monde plutôt que dissimulés dans une pièce. C'est sans doute ce qu'elle aurait préféré. C'est juste que je ne suis pas certain d'être prêt à m'en séparer. Bien sûr, nous pourrions garder nos favoris. Le problème, c'est qu'ils sont tous mes préférés ! Je vais y réfléchir...

Cette nuit-là, Corrie rêva de Maman. Elle s'envolait d'un trapèze sous les yeux de sa mère, qui riait et applaudissait. Elle raconta son rêve à Rose.

– Oh, Corrie, tu as vraiment de la chance ! s'exclama-t-elle. J'essaie sans arrêt de rêver de Maman. Tous les soirs, je pense à elle en m'endormant, mais elle n'apparaît jamais !

– Tu peux imaginer que c'était ton rêve, si tu veux, proposa Corrie.

Le concert du centenaire de la Colombie-Britannique eut lieu le 13 juillet. Corrie fut étonnée de constater combien elle était ravie de revoir sa classe. Elle avait été tellement immergée dans sa famille qu'elle en avait oublié ses camarades. Darlène l'accueillit avec enthousiasme et Jamie vint immédiatement la voir pour lui raconter son excursion en camping. Plusieurs élèves étaient partis pour l'été, comme Meredith. Elle manqua tout à coup beaucoup à Corrie. Mais elle serait de retour dans deux semaines !

Ils prirent place sur les bancs disposés sur la scène et entonnèrent sous un soleil brûlant les trois chansons qu'ils avaient préparées, accompagnés de centaines d'autres enfants. Corrie craignait d'avoir oublié les paroles des chants mais ils avaient répété tant de fois qu'elles lui revinrent aisément. M. Zelmach ne cessait de leur dire combien il était fier d'eux. Toute la famille, à l'exception de Sébastien, qui suivait encore ses cours de rattrapage, se déplaça pour entendre Corrie. Eux aussi lui avouèrent leur fierté.

Un jour, Père sortit dans l'après-midi en leur indiquant qu'il serait de retour pour préparer le dîner. Ils étaient tous assis sur les marches donnant derrière la maison, en train de se régaler d'un sachet de gélatine en poudre, lorsqu'ils entendirent une voiture dans la rue qui n'arrêtait pas de klaxonner.

– Va voir qui c'est, demanda Corrie à Harry. Ils ont dû se tromper de maison.

Harry fit le tour de la bâtisse en courant. Puis ils l'entendirent crier :

– Corrie, Rose, tout le monde ! Venez voir tout de suite !

Ils découvrirent leur père qui se tenait devant un break rutilant, rouge et blanc. Il souriait comme un enfant :

– Venez voir notre nouvelle voiture ! lança-t-il.

– Une voiture, une voiture !

Les enfants encerclèrent le véhicule en poussant des cris de joie et en ne cessant de poser des questions. Ils caressèrent sa carrosserie étincelante, puis grimpèrent à l'intérieur. Même avec les jumeaux allongés à l'arrière, il restait de la place.

– Je croyais que tu ne savais pas conduire ! s'étonna Harry.

– Bien sûr que si ! répliqua Père. C'est juste que je ne l'ai pas fait depuis plusieurs années. J'ai arrêté après... après l'accident de votre mère. Je ne pensais pas vouloir reconduire un jour, mais à présent j'en ai envie. Ce n'est vraiment pas pratique pour vous tous de ne pas avoir quelqu'un qui puisse vous accompagner. Elle vous plaît ? C'est une Buick. Elle n'a que deux ans – je l'ai rachetée à un collègue. La couleur est plutôt voyante, mais elle marche bien.

– Je l'adore, déclara Rose en caressant les fauteuils en cuir rouge et blanc.

– Regardez le volant, s'exclama Harry en le faisant tourner. On dirait une soucoupe volante !

– On pourrait dormir ici ! s'exclama Juliette allongée à l'arrière.

Corrie se nicha dans les sièges moelleux. Ils avaient une voiture, comme toutes les autres familles !

– Allons chercher Sébastien à l'école ! proposa Père.

Ils fermèrent les portières d'un coup sec et l'élégant véhicule s'élança dans la rue comme un tigre ronronnant. Les jumeaux ne cessaient d'ouvrir les vitres et de passer leur tête à l'extérieur, jusqu'à ce que Père leur dise d'arrêter.

– Sébastien, Sébastien, nous avons une voiture ! hurla Juliette dès l'arrivée de leur frère.

– Une voiture... Elle est très belle, commenta-t-il d'une voix aussi monocorde que d'habitude.

– Dans un an, je t'apprendrai à conduire, lui annonça Père.

– Et moi, dans deux ans, je pourrai conduire aussi ! se réjouit Rose en se jetant au cou de son père. Oh, Père, cet été est merveilleux !

Comment pouvait-elle dire cela ? se demanda Corrie. Ils avaient certes une belle voiture, et voir leur père de nouveau impliqué au sein de la famille tenait du miracle. Mais son frère, assis à l'arrière avec cet air impassible, regardait par la vitre sans afficher la moindre expression.

Lancelot était mort, mais Sébastien, où était-il ?

19

Sébastien

Corrie reçut une carte postale de Meredith. Celle-ci y annonçait qu'elle passerait le reste de l'été en Alberta, pour aller camper avec sa cousine : « Nous ferons de l'équitation et du canoë, et nous dormirons dans des tentes ! Ça va être super ! Maman et Papa vont prolonger leur séjour au bord du lac. Je te rapporterai un cadeau d'anniversaire ! Désolée de ne pas te revoir avant l'automne. Bises, Meredith. »

Corrie ravala ses larmes. Meredith ne paraissait pas particulièrement désolée – elle semblait avoir presque oublié son amie. Corrie et elle avaient prévu de décorer leurs vélos pour le concours organisé par la ville, et d'aller à la piscine tous les jours. Et leur fête d'anniversaire commune ? Le mois d'août s'annonçait à présent morne et sans intérêt.

Le moral de Corrie s'améliora un peu lorsque Père leur apprit qu'il les emmenait en vacances pour fêter la fin des cours de rattrapage de Sébastien. Ils demandèrent aux Tait de venir s'occuper tous les jours d'Othello et de Clochette. Ils remplirent le coffre de la voiture de valises, de serviettes et de jeux de plage et prirent le ferry à destination de l'île de Vancouver.

Ils rejoignirent ensuite un village appelé Oyster River dans le haut de l'île.

Le trajet dura des heures. Les jumeaux chantèrent « Lundi matin, l'empereur, sa femme et le petit prince... » jusqu'à ce que les autres les supplient d'arrêter. Ils jouèrent aux charades et au jeu des sept familles.

Ils séjournèrent dans un motel situé juste au bord de la plage. Tous les jours, ils défiaient la fraîcheur des vagues et se poursuivaient sur le sable fin. Corrie aida les plus petits à fabriquer un fort avec du bois flottant. Ils descendaient la rivière à bord des canoës en bois du motel et faisaient de la balançoire devant les chalets. Tous les soirs, Père leur préparait des hamburgers ou des hot-dogs dans leur petite cuisine.

Harry, Juliette et Orly se firent rapidement des amis parmi les nombreux autres enfants qui séjournaient au motel. Ils vagabondaient tous ensemble, armés de bâtons et de lance-pierres, les pieds incrustés de sable et le nez rougi par les coups de soleil. Père les surnommait le Règne de la terreur. Rose fut enchantée de rencontrer une élève de son école : Paula et elle allaient tous les jours à la plage, où elles lisaient des magazines de cinéma en améliorant leur bronzage.

Corrie rejoignait la bande d'enfants tous les soirs pour jouer aux gendarmes et aux voleurs mais, en dehors de ce moment, elle restait à part. Elle savait qu'elle aurait dû faire des efforts pour aller vers les trois filles de son âge, mais celles-ci semblaient si complices que Corrie en était intimidée.

Elle restait donc aux côtés de son père, qui lui apparaissait encore comme un nouvel ami très précieux. Ils marchaient jusqu'à la rivière, allaient faire des courses au magasin ou lisaient des livres ensemble. Père lui apprit les noms des oiseaux et des crustacés et l'initia aux échecs.

Sébastien demeurait assis sur le porche, plongé dans son livre, ou marchait sur la plage durant des heures. Il était plus silencieux que jamais et Corrie avait renoncé à tenter de communiquer avec lui.

Le dernier soir, leur père les emmena au restaurant à Courtney pour fêter les anniversaires de Rose et d'Harry, nés à un jour d'intervalle. À leur retour, Père et Corrie partirent pour une dernière grande balade sur la plage. Les vagues remontaient sur le sable en soupirant, comme si elles savaient que la famille s'en allait.

Corrie prit la main de son père :

– Est-ce que Sébastien finira par aller mieux ? demanda-t-elle.

– Le pauvre garçon... répondit-il en soupirant. Pour l'instant, il ne sait pas trop comment se raccrocher au monde. Mais le docteur Samuel dit qu'il progresse. Ne t'inquiète pas, Cordelia, il sera de nouveau bientôt lui-même. Il redeviendra un garçon formidable comme il l'était avant d'être malade.

– Mais il a l'air si... éteint ! dit Corrie d'une voix brisée. Et il ne me parle jamais !

Père lui passa le bras autour des épaules :

– Ça viendra. Nous ne pouvons pas le brusquer, tu sais. Donne-lui juste un peu de temps.

Lorsqu'ils regagnèrent la ville, l'enthousiasme de Père pour la cuisine retomba. Il se levait plus tard, et ils reprirent leur ancienne habitude de préparer seuls leur bol de céréales. Leur père les emmenait plus souvent dîner à l'extérieur qu'il ne préparait à manger.

Rose se chargea donc de la cuisine. Corrie l'aidait et, contre toute attente, Harry se prit de passion pour cette activité en abordant les recettes avec la même rigueur méthodique que les modes d'emploi de ses maquettes.

Père cessa aussi de faire le ménage. Il recommença à passer beaucoup de temps dans son bureau.

– Je crains que mon livre ne meure si je n'y travaille pas au moins un petit peu, s'excusa-t-il.

– Les livres peuvent vraiment mourir ? demanda Juliette.

– Ils peuvent perdre leur âme si on les néglige. Mais ne t'inquiète pas, je n'y travaillerai que quelques heures par jour. Et n'hésitez pas à m'interrompre quand vous le souhaitez.

Très rapidement, les heures de travail s'étirèrent. Bientôt, Père resta de nouveau enfermé dans son bureau toute la journée. Ils entraient et sortaient de la pièce plus facilement que jamais, mais aucun d'eux n'aimait le déranger longtemps. Lorsque Père réapparaissait, il s'intéressait toutefois beaucoup plus à eux qu'à l'époque de la Table ronde et passait toutes ses soirées en leur compagnie.

Une fois de plus, la maison redevint poussiéreuse et désordonnée. Sébastien était toujours cloîtré dans sa chambre, alors que ses cours étaient terminés. Qu'y faisait-il ? se demandait Corrie.

Rose et elle établirent des plannings pour le reste du mois d'août : un pour la cuisine, un autre pour le ménage et la lessive, et un dernier pour se charger des jumeaux à tour de rôle.

Qui allait s'occuper de la maison à l'automne ? s'interrogeait Corrie. Rose et elle avaient consulté leur père, qui avait placé une annonce dans une agence mais n'avait pas encore eu de nouvelles.

Corrie poussa un soupir. Encore une Mme Oliphant qui allait perturber leur tranquillité. Père avait promis que cette nouvelle personne serait plus agréable que l'Éléphant, mais ce serait de nouveau une étrangère.

Un après-midi, Corrie frappa à la porte de son père :

– Père, à Noël, tante Madge m'a dit que sa cousine Daphné allait mieux. Est-ce que vous savez si elle est guérie ? Croyez-vous que tante Madge pourrait revenir chez nous ? Si seulement elle pouvait revenir !

– Daphné est guérie, répondit Père. La semaine dernière, j'ai demandé à Madge si elle pouvait revenir vivre avec vous et elle a dit qu'elle le souhaiterait vraiment. Mais... (Il se frotta les yeux de ses deux pouces, comme lorsqu'il était préoccupé.) Sébastien ne veut pas d'elle, Cordelia. Je me suis dit qu'il valait mieux lui demander son avis, et il a été catégorique sur ce point.

– Mais *pourquoi* ?

– Il n'a pas voulu me dire pourquoi et je n'ai pas voulu le forcer.

– Moi, je vais le lui demander ! s'exclama-t-elle.

Comment Sébastien pouvait-il rejeter cette solution idéale ? s'interrogea Corrie.

– Ma chère enfant, je ne pense vraiment pas que ce soit une bonne idée. Nous ne devons surtout pas contrarier Sébastien. Il est encore très fragile, tu sais. S'il ne veut pas de Madge, nous ne pouvons pas lui demander de venir. Ne parle pas de tout cela aux autres. Je suis certain que l'agence nous trouvera quelqu'un de bien, ne t'inquiète pas.

Parfois, Père se montrait encore tout aussi autoritaire que le roi Arthur. Corrie savait qu'elle avait perdu.

Rose vint la voir dans le séjour, où elle regardait *Perry Mason* d'un air morose.

– Corrie, je viens d'avoir une idée géniale !

– Laquelle ?

– Demandons à Père si tante Madge peut revenir !

– Elle ne peut pas. Elle doit s'occuper de sa cousine Daphné, marmonna Corrie.

– Ne pouvons-nous pas au moins lui poser la question ? À Noël, elle m'a dit que sa cousine allait mieux.

– Père lui a posé la question, poursuivit Corrie. Daphné va de nouveau mal. Tante Madge a dit que... qu'elle aimerait bien venir, mais qu'elle ne peut pas.

« Tu ne mentiras point », disait le Code de la chevalerie. Mais elle n'était plus un chevalier.

– Zut ! s'exclama Rose en se laissant tomber sur le canapé. Je n'ai vraiment pas envie de supporter une nouvelle gouvernante !

Corrie se leva et quitta la pièce avant d'avoir à mentir à nouveau.

En l'absence de Meredith, le mois d'août lui paraissait ennuyeux. Un matin où il pleuvait, Corrie errait dans la maison en cherchant à s'occuper. Elle décida de se lancer dans un autre diorama.

Elle alla chercher un verre d'eau, installa ses pots de peinture sur son bureau et commença à peindre le fond d'une boîte à chaussures couleur bleu rosé. Une fois la peinture sèche, elle ajouta une rangée de petites collines verdoyantes et un soleil en train de se lever.

En fouillant dans sa boîte de matériel qu'elle conservait sous son lit, Corrie retrouva un morceau de velours vert récupéré d'une housse de coussin et donné un jour par tante Madge.

Corrie découpa le tissu aux dimensions du fond de la boîte puis le colla. Elle lissa le velours tout doux – il faisait une herbe parfaite.

Une heure plus tard, le velours était devenu une prairie. Un arbre – une brindille agrémentée de feuilles en crépon vert et fixée avec de la pâte à modeler – s'y dressait. Un rouge-gorge était perché sur une branche. Des fleurs en feutrine rouge et jaune parsemaient la prairie et un ruisseau constitué d'un ruban bleu la traversait en serpentant.

Corrie était satisfaite du résultat, mais la scène semblait incomplète. Si seulement elle savait dessiner les gens ! Elle pourrait ajouter une petite silhouette représentant chaque membre de sa famille. Ils pique-niqueraient au pied de l'arbre.

Elle ne savait pas dessiner les hommes, mais elle avait toujours très bien réussi les chevaux. Elle en dessina six petits sur un morceau de carton, coloria chacun d'eux avec des crayons de couleur et les découpa soigneusement avec des ciseaux à ongles. Découper les jambes, les oreilles et les queues si minuscules lui prit un temps fou.

Corrie colla des étiquettes sur le dos des chevaux qu'elle disposa dans la prairie. Son père était un palomino qui se tenait à l'ombre de l'arbre. Deux poneys gris strictement identiques croquaient les fleurs. Un alezan (Corrie), un appaloosa (Rose) et un cheval pie (Harry) se faisaient face au milieu de la prairie. Sur le côté droit, face aux autres, se tenait un superbe étalon noir.

Corrie observa attentivement la scène puis réalisa un cheval supplémentaire : tout blanc, la crinière au vent. Elle le plaça sous l'arbre à côté de Père.

C'était terminé. Corrie se projetait dans la scène, se réjouissant de l'odeur de l'herbe fraîche, des glouglous du cours d'eau et du chant de l'oiseau qui saluait le jour naissant. Elle avait recréé un petit paradis. Maman était de nouveau avec eux et chacun était à sa place. Personne n'avait à se préoccuper d'un changement d'école, d'une nouvelle gouvernante ou de savoir si Sébastien irait mieux un jour. Si Corrie était vraiment un cheval dans la prairie, elle se roulerait dans l'herbe et ruerait en signe de joie.

Mais elle n'était pas un cheval. Elle observa son diorama puis poussa un profond soupir. Au moins pourrait-elle le regarder de temps à autre.

Corrie se mit à aller à la piscine tous les après-midi, une fois qu'elle n'eut plus à s'occuper des jumeaux. Elle avait décidé de s'entraîner à plonger. Il lui avait toujours paru difficile de ne pas faire de « plat » et de bien lancer les jambes en arrière. Elle se pencha au bord de la piscine et s'entraîna encore et encore. Le troisième jour, elle avait l'impression d'avoir suffisamment progressé pour essayer le plongeoir.

– Pas mal ! fit une voix derrière elle. Rentre bien tes orteils et élance-toi d'un bond. Tu veux que je te montre ?

Darlène ! Corrie allait refuser et s'éloigner. Pourquoi Darlène s'intéresserait-elle à elle ? Mais elle avait l'air si gentille.

– Si tu veux, répondit timidement Corrie. Tu sais plonger ?

Darlène s'avança jusqu'au bout du plongeoir, rebondit sur la planche et exécuta un plongeon parfait.

– Ouah ! s'exclama Corrie lorsque Darlène sortit de la piscine.

– Où as-tu appris à faire ça ?

– Avec mon père, répondit la jeune fille. Je peux te montrer. Viens voir.

Une heure durant, Darlène expliqua à Corrie comment sauter en l'air tout en gardant les jambes tendues. Corrie y était presque arrivée à la fin de l'après-midi.

– Est-ce que tu veux réessayer demain ? proposa Darlène.

– D'accord !

Corrie se demandait pourquoi Darlène était venue seule à la piscine alors qu'elle était d'habitude avec les autres filles du groupe des Cinq.

– Où sont les autres ? demanda Corrie l'air de rien tandis qu'elles se changeaient.

– Toutes parties, répondit Darlène, la mine sombre. Elles sont dans leur chalet d'été ou en visite dans leur famille. Et Meredith, alors ?

– En Alberta pour tout l'été. Elle devait revenir en août, mais elle a décidé de participer à un stupide camp de vacances.

– Un camp de vacances, beurk, je détesterais ça. Avec tous ces gens qui te disent tout le temps ce que tu dois faire. Tu veux une glace ?

– Je n'ai pas d'argent.

– Je t'invite. Viens.

Darlène bavarda tout le long du chemin jusqu'au kiosque du marchand de glaces. Corrie savoura sa glace à l'orange dans un mélange de crainte et d'admiration. Darlène avait toujours été gentille avec elle, et à présent elle l'invitait à s'arrêter chez elle sur le chemin du retour !

– Je vais te montrer les nouveaux vêtements que ma mère m'a achetés pour l'école, annonça-t-elle à Corrie.

Corrie vit Darlène tous les jours au cours des deux dernières semaines de l'été. Elles allaient à la piscine ou au bowling, faisaient du vélo jusqu'à Little Mountain ou jouaient au Monopoly avec les petits frères de sa nouvelle amie. Ce n'était pas aussi formidable que d'aller chez les Cooper. Les frères de Darlène geignaient sans cesse et sa mère se montrait irascible.

À plusieurs reprises, Corrie invita Darlène à venir chez elle.

– Je me souviens de cette vieille maison ! s'exclama la jeune fille. Il y a un placard secret au dernier étage, non ?

Corrie avait presque oublié que Darlène avait été son amie avant la mort de sa mère et qu'elle venait quelquefois jouer à la maison.

Toutes deux passaient beaucoup de temps à se demander à quoi ressemblerait le collège. Dans deux semaines, elles y seraient ! Elles partageaient les mêmes inquiétudes à l'idée de se retrouver dans une bâtisse immense avec une multitude d'élèves, de devoir changer sans cesse de professeur, d'avoir des devoirs à faire tous les soirs, mais aussi d'assister à des soirées dansantes avec des garçons plus âgés.

– J'aime bien les garçons, mais je ne suis pas encore prête à sortir avec l'un d'eux, lui confia Darlène. Maman dit que je dois attendre d'être en secondaire 3.

– Sortir avec un garçon ! s'exclama Corrie horrifiée.

Elle n'aurait *jamais* envie d'avoir un petit ami, mais elle ne l'avoua pas à Darlène. Celle-ci l'aurait trouvée puérile.

Darlène n'était pas comme Meredith. Elle ne lisait pas beaucoup et n'avait pas son enthousiasme communicatif. Le sport était son principal centre d'intérêt ; elle avait obtenu des médailles en patinage et en natation. Lorsque Corrie était chez Darlène, elles passaient des heures à tenter de réussir des paniers de basket.

C'était au moins une copine avec qui elle pouvait passer du temps en attendant le retour de Meredith. Et Corrie trouvait du réconfort à partager avec Darlène ses angoisses au sujet de Laburnum. Sa nouvelle copine lui proposa même que Meredith et elle fassent le trajet en compagnie du groupe des Cinq le jour de la rentrée.

– Je poserai la question à Meredith, répondit Corrie, étonnée de cette proposition.

Rose emmena Corrie acheter de nouveaux vêtements pour l'école et Darlène les accompagna. Corrie refusa d'acheter le twin-set qu'elles lui suggéraient, mais se réjouit d'avoir trouvé un caban rouge, des chemisiers blancs et un kilt dont le motif écossais était celui du centenaire de la Colombie-Britannique.

– Est-ce que tu veux des bas ? demanda Rose.

– Moi, j'en ai, déclara Darlène. On commence à en porter au secondaire, c'est ça Rose ?

– On met des socquettes à l'école et des bas pour les fêtes et la messe, expliqua Rose.

– Non merci, déclina Corrie.

L'idée de porter des bas la titillait, mais elle attendrait de connaître la décision de Meredith.

L'anniversaire de Corrie fut plus réussi qu'elle n'avait espéré. Tous ses cadeaux lui plurent, en particulier l'appareil photo Brownie. Et le sourire de Sébastien lui parut sincère lorsqu'il lui tendit le dernier tome du *Monde de Narnia*, le seul qu'elle n'avait pas lu.

– Comment as-tu su que je le voulais ? demanda-t-elle.

– Je t'ai entendu le dire à Rose, répondit-il entre ses dents.

Corrie choisit le restaurant *White Spot* pour son dîner d'anniversaire et Darlène se joignit à eux. Son amie passa tout le temps du repas à discuter du collège avec Rose. Au restaurant, en savourant son poulet rôti, Corrie se demanda ce que Meredith faisait à ce moment même. Elle l'entendait se réjouir : « Nous avons douze ans toutes les deux ! »

Corrie prit son morceau de poulet et le dévora à pleines dents en mangeant aussi négligemment que les jumeaux. Puisqu'il ne lui restait plus qu'une année avant de devenir adolescente, autant en profiter.

L'agence communiqua trois noms de candidates à Père, qui fit venir chacune d'elles séparément pour que toute la famille leur fasse passer un entretien. La première s'appelait Mlle Blanc. Elle était aussi pâle et terne que son nom.

– À quelle sorte de jeux aimez-vous jouer ? lui demanda Juliette, après les habituelles questions concernant la cuisine et le ménage.

– Des jeux ? Eh bien, j'aime les cartes et les échecs, répondit timidement Mlle Blanc.

– Pas ce genre de jeux, reprit Juliette avec dédain. Je veux dire les cow-boys, la guerre et les pirates.

– Ce ne sont pas là des jeux pour une petite fille, lui répondit Mlle Blanc d'un ton un peu plus ferme. Pourquoi pas les poupées ? Je pourrais t'aider à les habiller.

– Je déteste les poupées ! Vous savez ce que j'ai fait avec ma poupée Bella ? Je lui ai coupé la tête et...

– C'est assez, Juliette, l'interrompit Père. Nous vous tiendrons au courant, mademoiselle Blanc.

Il la reconduisit rapidement à la porte.

La deuxième prétendante s'avéra plutôt agréable, mais Orly lui demanda pourquoi elle dégageait une drôle d'odeur. Elle se vexa et partit.

La troisième s'appelait Mme Morrissey. Elle paraissait robuste et calme. Mme Morrissey annonça courageusement aux jumeaux qu'elle les aiderait à piéger un écureuil. Elle écouta patiemment Harry lui parler de sa fusée.

– Comme c'est une grande maison, il y a beaucoup de ménage à prévoir, l'avertit Père. Pensez-vous pouvoir vous en charger, en plus de la cuisine et des jumeaux dont il faudrait aider à s'occuper ?

Mme Morrissey regarda le salon sale et en désordre avec envie, comme si elle attendait impatiemment de s'y attaquer.

– Je suis très douée pour le ménage, leur dit-elle. Je m'en sortirais sans problème.

– Elle me plaît, s'exclama Rose après le départ de la jeune femme. Elle a dit qu'elle pourrait m'apprendre à coudre.

– Elle a l'air de bien faire la cuisine, commenta Harry.

Les jumeaux déclarèrent l'apprécier également.

– Et toi, Corrie ? demanda Père. Tu n'as posé aucune question à Mme Morrissey. Penses-tu que nous devrions l'embaucher ? La dernière famille pour laquelle elle a travaillé lui a fait une excellente lettre de recommandation.

– Elle est très bien, répondit Corrie avec un haussement

d'épaules. (Elle esquissa un sourire.) Et on dirait que c'est la plus gentille qu'on ait rencontrée jusqu'ici.

– Sébastien ? Qu'en dis-tu ?

Sébastien était demeuré aussi silencieux que Corrie pendant les entretiens.

– Je crois qu'elle sera parfaite, répondit-il d'une voix monocorde.

Père parut soulagé :

– Je vais lui proposer le poste, alors, et lui dire qu'elle peut commencer la semaine prochaine.

Corrie prit une pomme dans la cuisine et escalada Vigile, son cerisier préféré. Elle avait dit ce qu'elle pensait. Mme Morrissey était agréable. Tous les autres semblaient vraiment l'apprécier. Mais ce n'était qu'une gouvernante, pas un membre de la famille. Elle ne serait pas là le soir ; elle ne dînerait pas avec eux, ne regarderait pas la télévision en leur compagnie dans le séjour. Elle n'était pas tante Madge.

Corrie lança son trognon de pomme sur le sol. Elle regarda la fenêtre de Sébastien et vit qu'il penchait la tête au-dessus de quelque chose. Tout cela était sa faute.

« Nous ne devons surtout pas contrarier Sébastien » : Corrie entendait encore les paroles de son père mais s'en moquait. Elle faillit tomber de l'arbre en redescendant trop vite. Elle monta les deux étages en courant et fit irruption dans la chambre de Sébastien, rouge et essoufflée.

– Corrie ! Qu'est-ce qui ne va pas ? fit Sébastien en se retournant brusquement.

– Tout va mal ! répondit Corrie. *Toi* en particulier ! (Elle s'approcha de lui d'un air décidé et le secoua.) Pourquoi as-tu dit à Père que tante Madge ne pouvait pas revenir ? Tu ne vois

270

pas qu'on a vraiment besoin d'elle ? Elle a envie de revenir !
Il n'y a que toi qui l'en empêches !

Les mots volaient de sa bouche comme les flèches de l'arc
de Robin des Bois. Elle ne pouvait pas les arrêter.

– Pourquoi tu ne me parles plus ? Pourquoi tu te caches de
nous tous ? Qu'est-ce qui ne va pas, Sébastien ? Pourquoi as-tu
autant changé ?

Corrie était tellement hors d'haleine qu'elle dut s'asseoir
sur le lit. Elle avait les joues en feu et elle enfouit son visage
entre ses mains, cherchant à se calmer un peu.

Sébastien s'assit à côté d'elle.

– Corrie... commença-t-il tandis qu'elle relevait la tête. Corrie, écoute. Je vais essayer de t'expliquer.

Au fur et à mesure que son frère parlait, Corrie reprenait
espoir. Il semblait enfin lui-même. Il parlait si doucement
qu'elle devait tendre l'oreille, mais il avait retrouvé sa voix
d'autrefois, vive et déterminée.

– Lorsque Père m'a demandé si je souhaitais que tante
Madge revienne, je n'ai pas pu dire oui. Je me suis si mal
conduit envers elle ! J'ai été méchant et désagréable, il y a
deux ans, et encore à Noël. Je... je ne supporte pas de savoir
que je me suis conduit ainsi. Ce n'est pas comme ça...

– Pas comme ça qu'un chevalier se comporte, murmura
Corrie.

– Exactement, fit-il en hochant tristement la tête. Ce n'est
pas comme ça qu'un chevalier, ou n'importe qui d'autre
d'ailleurs, doit se comporter. Si tante Madge était là, je me sentirais gêné dès que je l'apercevrais. Et elle serait mal à l'aise.
C'est quelqu'un de bien. Je ne m'en étais pas rendu compte...
parce qu'elle prenait la place de Maman. Elle faisait de son

mieux pour être comme une mère pour nous. Vous, ça vous a plu, mais moi, je n'ai pas supporté !

Corrie était restée silencieuse, de peur qu'il ne s'interrompe. Là, il fallait tout de même qu'elle l'arrête :

– Mais Sébastien, pourquoi ne pas t'excuser, tout simplement ? Tante Madge te pardonnerait, j'en suis sûre. Elle sait que tu n'étais pas toi-même, à cause de la mort de Maman. Tu n'as qu'à dire que tu es désolé, et elle reviendra !

– Tu as parfaitement raison, Corrie. Mais je n'y arrive pas. Ce serait comme reconnaître que je n'étais pas...

– Que tu n'étais pas parfait, poursuivit Corrie. Un noble et parfait chevalier. Personne n'est parfait !

– C'est ce que le docteur Samuel n'arrête pas de me répéter, lui dit Sébastien d'un air lugubre.

Corrie avait une dernière flèche à décocher :

– Sébastien, ne penses-tu pas un peu plus à toi qu'à nous tous ?

La flèche atteignit sa cible. Sébastien rougit et baissa la tête. Corrie retint son souffle, craignant d'en dire davantage.

Elle regarda la pièce autour d'elle. Tous les dessins de chevaliers et de châteaux avaient disparu. À leur place étaient accrochées des illustrations d'oiseaux. Des esquisses et des aquarelles superbes. Il y avait des aigles, des roitelets, des hérons et des hiboux, tous représentés dans les moindres détails.

Étaient-ils l'œuvre de Sébastien ? Ils étaient beaucoup plus réussis que les oiseaux de proie qu'il avait dessinés par le passé ; on aurait dit les illustrations d'un livre.

Sébastien se releva :

– Attends ici. Je reviens tout de suite.

272

Corrie fit les cent pas dans la pièce en admirant de nouveau les dessins. C'était bien Sébastien qui en était l'auteur ! Il y en avait plusieurs autres, pas tout à fait terminés, posés sur son bureau à côté de livres d'ornithologie, de crayons et de tubes de peinture. Voilà donc ce à quoi il avait passé ces dernières semaines !

Corrie se coucha en boule sur le lit et ferma les yeux. Elle faillit s'endormir. Elle eut l'impression que des heures s'étaient écoulées lorsque la porte se rouvrit.

– Réveille-toi ! l'enjoignit son frère dans l'encadrement de la porte. J'ai réussi !

– Réussi quoi ? demanda Corrie en se redressant péniblement.

– Je lui ai téléphoné. J'ai téléphoné à tante Madge et je lui ai demandé de revenir. Je lui ai dit que j'étais désolé d'avoir été aussi désagréable avec elle. Elle pleurait tellement qu'elle arrivait à peine à parler. Père et elle sont en train de discuter, j'ai l'impression qu'elle va venir dès que possible.

– Oh, Sébastien... (Elle le regardait avec des yeux brillants.) Je suis tellement contente que tu lui aies téléphoné ! Tu as été très courageux. Aussi courageux que Lancelot !

Elle n'aurait pas dû dire cela !

Mais Sébastien sourit :

– J'ai *eu l'impression* d'être aussi courageux que Lancelot, même si je ne suis plus Lancelot. Écoute, Corrie, je veux m'excuser auprès de toi également. Je sais que je t'ai ignorée. C'est parce que tu étais mon compagnon d'armes et j'avais peur de reparler de toutes ces histoires de chevalier.

– Je ne suis plus un chevalier, lui annonça Corrie. Aucun d'entre nous n'est plus chevalier. La Table ronde n'existe plus.

J'ai fait du ménage à Camelot et rangé toutes les affaires de chevalerie dans un carton.

– Ce n'est pas plus mal, même s'il n'y a aucune raison que vous, vous n'y jouiez pas. Vous êtes encore assez jeunes pour cela. Pas moi.

– Croyais-tu vraiment être la réincarnation de Lancelot ? lui demanda Corrie.

– J'y ai vraiment cru à un moment donné. J'avais perdu pied. Je n'ai pas supporté la mort de Maman, puis la perte de Jennifer. C'était trop douloureux, expliqua-t-il la gorge serrée. Merci, Corrie. Si Père et toi n'étiez pas venus à mon secours, je ne sais pas ce qui serait arrivé.

– Ce n'est pas la peine d'en reparler, s'empressa d'ajouter Corrie.

– Eh bien, j'en ai beaucoup parlé avec le docteur Samuel, en tout cas ! Nous continuons d'en discuter, poursuivit Sébastien. (Ses yeux limpides brillaient.) Je te dois tellement, Corrie. Tu as toujours été si fidèle. Et à présent regarde à quoi tu es arrivée ! Tu m'as convaincu de m'excuser, ce qu'il m'était impossible de faire tout seul. Tu es toujours mon fidèle et courageux Gareth.

Corrie se leva, et Sébastien la serra très fort dans ses bras. Elle n'avait jamais entendu parler de chevaliers qui se prenaient dans les bras, mais ils n'étaient plus des chevaliers de la Table ronde. Ils n'étaient qu'un frère et une sœur qui s'aimaient, et c'était tout aussi magique.

20

Molly

En novembre eut lieu l'inauguration de l'exposition des peintures de Maman, intitulée « Molly Bell : rétrospective ». Père les avait laissés conserver chacun un tableau de leur choix. Corrie avait choisi celui qu'elle avait baptisé *Chevaux sous la pluie*. Père en sélectionna trois. Il s'était réinstallé dans la chambre qu'il occupait avec Maman et avait accroché ses tableaux au mur. Les autres œuvres étaient éparpillées dans la maison, comme des bijoux égayant les lambris de bois foncé.

Pleine de fierté, Corrie se tenait à présent au milieu de la foule venue assister à la soirée d'inauguration. Les peintures formaient un arc-en-ciel de couleurs à travers la pièce. Chacune portait une petite étiquette sur laquelle étaient mentionnés son titre et son prix. Sur certaines figurait déjà un point rouge, indiquant que le tableau avait été vendu.

Père les avait laissés baptiser les toiles qui n'avaient pas de nom. Ils avaient réfléchi durant de nombreuses soirées avant de trouver *Arbres dansants* (Juliette), *Bonheur* (Orly), *Déflagration* (Harry) et *Dans le jardin* (tante Madge). Rose avait nommé une peinture *Dansons !* et Sébastien avait décidé qu'une toile sombre avec des volutes de couleurs vives dans l'un des quatre coins devait s'appeler *L'Arrivée de la lumière*.

De nombreuses personnes étudiaient les tableaux. D'autres parlaient fort en se servant du vin ou en grignotant des gâteaux ou du pop-corn.

Corrie essayait de ne pas frotter ses jambes l'une contre l'autre. Ce soir, pour la première fois, elle portait des bas. Rose l'avait aidée à les attacher. Les petites pinces du porte-jarretelles s'enfonçaient douloureusement dans ses cuisses, et elle sentait ses jambes prisonnières de cette matière satinée qui les comprimait. Mais sans chaussettes, ses escarpins noirs paraissaient plus élégants.

Elle portait un nouveau twin-set bleu assorti à son kilt, et avait noué un ruban, bleu lui aussi, autour de sa queue-de-cheval. Le reste de la famille était tout aussi présentable. Père portait le premier costume neuf qu'il avait acheté depuis six ans, Sébastien avait emprunté une chemise à rayures à son père, et les jumeaux et Harry étaient propres comme des sous neufs ; quant à Rose, elle les surpassait tous avec sa robe rose et sa nouvelle permanente. Même tante Madge avait revêtu une robe neuve à la place de celle, tachée, qu'elle portait d'ordinaire.

– *Corrie*, tu portes des *bas* ! s'exclama Meredith en accourant, ses parents sur ses talons. Maman, s'il te plaît, est-ce que je peux en avoir ?

– Peut-être à Noël, ma chérie, répondit Mme Cooper. Corrie, les tableaux de ta mère sont incroyables ! Nous allons en acheter un pour notre salon, celui qui s'appelle *Lueur*.

– C'est vrai ? s'exclama Corrie en se disant qu'elle verrait donc encore cette toile. C'est moi qui ai trouvé ce nom, ajouta-t-elle très fière.

Tante Madge s'approcha d'eux, un jumeau pendu à chaque main :

– Allons, ne mange pas trop Orly, avertit-elle le petit garçon qui engouffrait un cookie dans sa bouche. Tu en as déjà eu trois. N'est-ce pas merveilleux, Corrie ? Cette chère Molly serait si heureuse. Bonsoir, Dot. Comment allez-vous ?

Mme Cooper et tante Madge se mirent à discuter. M. Cooper emmena Meredith saluer une connaissance et Corrie alla chercher à boire. Elle s'assit sur une chaise et observa son père de l'autre côté de la pièce, entouré d'anciens amis. Certains d'entre eux ne l'avaient pas revu depuis la mort de Molly, les entendait-elle déclarer. Tout autour d'elle, les gens ne cessaient de répéter : « Molly serait enchantée. »

Et si Maman avait vraiment pu être présente ? Elle serait ravie et fière de voir ses tableaux exposés et de savoir que nombre d'entre eux poursuivraient leur existence chez d'autres gens, comme si une partie d'elle-même s'y rendait également. Surtout, elle demanderait des nouvelles de sa famille.

Nous allons tous bien, Maman, se dit Corrie. Tante Madge s'était réinstallée très rapidement chez eux, comme si elle n'était jamais partie. Père avait embauché Mme Morrissey pour faire le ménage, de façon que tante Madge puisse se concentrer sur la cuisine et les jumeaux. Corrie pouvait partager avec elle ses inquiétudes sur la difficulté des mathématiques au collège ou sur le fait qu'elle ne souhaitait pas se rendre aux fêtes organisées tous les vendredis soir.

– Ce n'est rien, ma chère Corrie. Tu iras quand tu te sentiras prête. Ne te préoccupe pas de ce que font les autres, lui avait recommandé tante Madge.

277

Les jumeaux se comportaient avec leur tante comme si elle était leur propre mère, se tournant vers elle en priorité dès qu'ils avaient besoin de quelque chose. Cette réaction avait dans un premier temps troublé Corrie, jusqu'à ce qu'elle comprenne qu'ils n'avaient aucun souvenir de leur mère. Ils donnaient toujours « du fil à retordre » comme disait tante Madge, mais depuis qu'ils bénéficiaient à la fois de l'attention de Père et de celle de leur tante, ils se conduisaient beaucoup mieux à l'école.

Harry et son copain Peter avaient terminé leur fusée et construisaient un satellite dans le jardin de Peter. Harry souriait désormais plus souvent ; il laissait même tante Madge le border dans son lit. À l'automne, il avait demandé à Orly de l'aider à enlever les roulettes d'anciens patins et les avait vissées à une planche assez épaisse. Tous deux avaient passé des heures à descendre l'allée debout sur la planche, faisant voler des étincelles sous les roues.

– Mon frère Harry et moi avons fabriqué une nouvelle invention ! racontait partout Orly.

À l'école, Rose était plus occupée que jamais. Elle était la meilleure majorette du secondaire 3. Corrie était stupéfaite que sa sœur s'intéresse à une activité aussi ridicule. Toutefois, être la sœur de la célèbre Rose constitua pour elle un atout à Laburnum. Les filles plus âgées se conduisaient gentiment avec elle et l'aidaient à s'orienter.

Le collège lui paraissait toujours effrayant, mais ses appréhensions diminuaient un peu plus chaque semaine. Au moins Meredith était-elle dans sa classe. Il était perturbant d'avoir un professeur différent par matière et Corrie n'avait jamais eu autant de devoirs de toute sa vie. Le mode d'enseignement décontracté de M. Zelmach lui manquait ; tous ses professeurs étaient à présent très sévères, comme s'ils redoutaient le chaos s'ils se conduisaient autrement.

C'est un nouvel engouement qui avait jusque-là constitué les meilleurs moments de l'école. En octobre, la mode du hula-hoop était arrivée à Vancouver et la cour de récréation comptait une multitude de cerceaux colorés virevoltant en permanence. Corrie avait demandé à son père de lui en acheter un jaune. Celui de Meredith était vert. Elle le faisait tourner plus d'une centaine de fois ; Corrie quant à elle avait atteint le nombre de quarante-six.

– C'est parce que moi, j'ai des hanches et pas toi ! affirmait Meredith.

Dans les vestiaires, tous les portemanteaux étaient agrémentés d'un cerceau de couleur. Parfois ils se décrochaient, ce qui donnait lieu à de vifs échanges sur la propriété de l'objet. Corrie et Meredith gravèrent leur nom sur le plastique pour ne pas mélanger les leurs. Même les filles du secondaire 3 possédaient un hula-hoop, faisant davantage ressembler le collège à l'école primaire, comme s'ils pouvaient tous rester enfants encore un peu plus longtemps.

Si Maman était là, elle serait particulièrement fière de Sébastien. Corrie regardait son frère écouter avec attention un ami de leur mère. Ils parlaient sans doute d'art. À l'école, Sébastien avait choisi l'option activités artistiques et il prenait des cours de dessin après la classe. Il dessinait et peignait à présent en dehors de sa chambre, faisant des croquis des arbres, de la maison et même de la famille. Tout le monde était étonné de la grandeur de son talent.

– Tu as hérité du don de Molly, mon garçon, avait déclaré Père.

Sébastien devait toujours se rendre chez le docteur Samuel, mais le rythme avait été réduit à une consultation par mois. Il fréquentait le collège situé à côté de l'université et non celui où se trouvaient Jennifer et Terry. Il s'y rendait en bus le matin et rentrait avec Père en fin d'après-midi. Il disait à Corrie qu'il appréciait son nouvel établissement. Il ne s'était pas encore fait d'amis, mais c'était au moins un nouveau départ. Personne ne le connaissait de sa vie d'avant. Personne ne savait qu'il avait eu les cheveux longs ni qu'il s'était fait malmener.

Parfois, Sébastien avait malgré tout le regard dans le vague et s'isolait de sa famille. Toutefois, la plupart du temps, il était de nouveau égal à lui-même, voire plus détendu. Il paraissait soulagé de laisser son père et sa tante diriger la famille. Après quelques jours étranges et silencieux aux côtés de tante Madge, il se mit progressivement à lui reparler. Tante Madge prenait soin de ne pas empiéter sur sa vie privée, mais il ne semblait pas s'offusquer qu'elle lui rende ses chemises repassées ou lui rappelle de mettre le couvert.

– Tu es contente, Corrie ? demanda Sébastien en se glissant dans le fauteuil à côté d'elle.

Son frère était vraiment très élégant dans son ensemble gris, en harmonie avec la couleur de ses yeux. Ses cheveux avaient repoussé sur son front, il n'avait plus la coupe sévère de cet été. Il paraissait très adulte.

– Très contente ! Et toi ?

Il hocha la tête :

– J'ai l'impression que Maman est vraiment là, pas toi ? Elle est dans ses tableaux, ce qui veut dire qu'elle ne mourra jamais, précisa-t-il en lui prenant la main. C'est une soirée très particulière, Gareth.

Corrie fut stupéfaite, mais cela ne dura qu'une seconde. Sébastien plaisantait. La Table ronde avait disparu à jamais, et Corrie sourit à ce noble et parfait chevalier.

Remerciements

Pour la vivacité de leurs souvenirs, leurs conseils et leurs encouragements, j'adresse de vifs remerciements à Deirdre et Donna Baker, Chris Ellis, Sarah Ellis, Jamie Evrard, Ann Farris, Barbara Greeniaus, Ron Pearson, Bill Porteous, Judi Saltman, Ellen Visser, à mon éditeur David Kilgour, et plus particulièrement à Katherine Farris.

D'autres livres Wiz

www.wiz.fr
Logo Wiz : Cédric Gatillon

Composition Nord Compo
Impression Marquis imprimeur en septembre 2011
Éditions Albin Michel
22, rue Huyghens 75014 Paris
ISBN : 978-2-226-23051-5
ISSN : 1637-0236
N° d'édition : 18298/01.
Dépôt légal : septembre 2011
Loi n° 49-956 du 16 juillet 1949 sur les publications destinées à la jeunesse.
Imprimé au Canada.